Bisher bei Schneiderbuch in dieser Reihe Minecraft Erste Leseabenteuer erschienen:

Ein gefährlicher Code
Monster-Alarm
Tierisch was los!
Schwarm drüber
Der Golem-Trick

1. Auflage 2024
Deutsche Erstausgabe

Die englische Originalausgabe erschien 2023 unter dem Titel
„Minecraft. The Stonesword Saga – The Golem's Game"
in den Vereinigten Staaten bei Random House Children's Books und in Kanada
bei Penguin Random House Canada Limited.
In Großbritannien bei Farshore
An Imprint of HarperCollins Publishers, 1 London Bridge Street, London SE1 9GF

MOJANG
STUDIOS

Übersetzung aus dem Englischen: Ulrike Schimming
Umschlag (in Anlehnung an das englische Original):
Achim Münster, Overath
Nach einem Entwurf von: Alan Batson and Chris Hill
Satz: Achim Münster, Overath
Druck und Bindung: GGP Media GmbH, Pößneck
Printed in Germany · ISBN 978-3-505-15164-4

www.schneiderbuch.de
Facebook: facebook.de/schneiderbuch
Instagram: @schneiderbuchverlag

MINECRAFT

DER GOLEM TRICK

EIN OFFIZIELLES MINECRAFT-ABENTEUER

SCHNEIDERBUCH

DAS SIND DIE
MORTON
ALLY
HARRIET

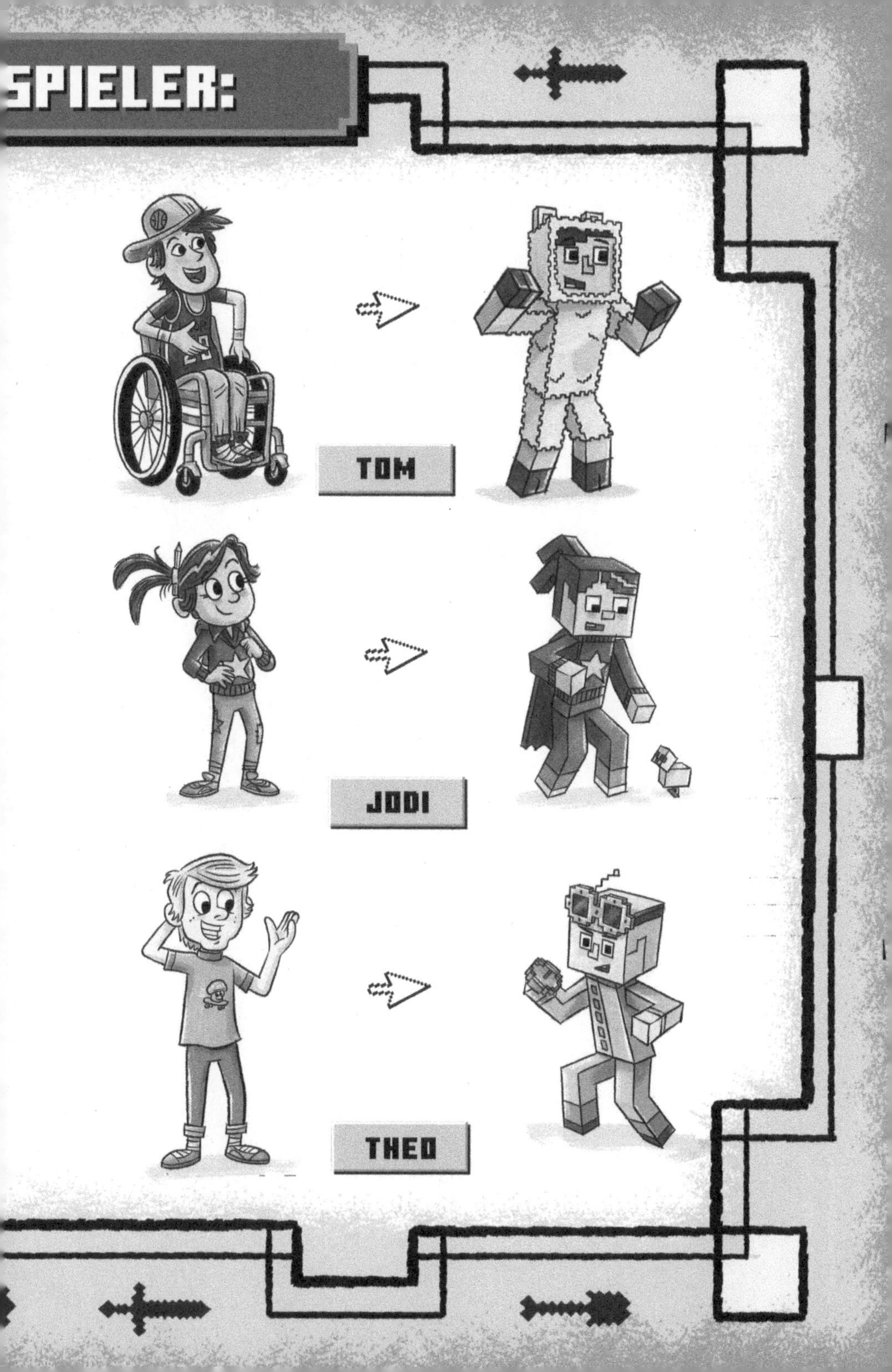
SPIELER:
TOM
JODI
THEO

Prolog

Morton Mercado war allein im Nether. Normalerweise erkundete er Minecraft mit einem ganzen Team – seinen Freunden. Normalerweise waren ein paar feindliche Mobs kein Grund zur Sorge. Normalerweise.

Aber heute war Morton ohne sein Team hier. Und es gab mehr als nur ein paar Mobs, die er bekämpfen musste.

Morton schlich sich leise an und hoffte, dass er nicht entdeckt würde. Die dunkle, verfallene Bastion, in der er sich befand, bot viele Verstecke. Aber es wimmelte dort nur so von Piglins. Das waren schweineähnliche Mobs, und sie waren nicht nett zu Eindringlingen.

Morton konnte jedoch nicht mehr zurück. In dieser

Festung befand sich etwas von unermesslichem Wert. Und mit leeren Händen zu seinen Freunden zurückzukehren, kam nicht infrage.

Ein markerschütterndes Quieken hallte durch die Luft. Morton wusste, dass er entdeckt worden war.

Jetzt brauchte er nicht mehr zu schleichen. Zum Glück hatte er das beste Schwert und die beste Rüstung des Spiels. Er konnte es mit einem oder zwei Piglins aufnehmen. Oder dreien. Vielleicht auch vier …

Aber es wurden immer mehr! Er konnte die Piglins schon nicht mehr zählen.

Morton stürzte sich in den Kampf. Mit dem Schwert in der Hand bahnte er sich einen Weg durch eine endlose Horde von Feinden.

Ein Piglin nach dem anderen fiel durch Mortons Klinge. Aber es schien, als ob für jeden, der zu Boden ging, zwei neue auftauchten. Und selbst durch seine Rüstung hindurch spürte er ihre Angriffe.

Er wusste, dass es nur eine Frage der Zeit war, bis …

Nun, am besten nicht darüber nachdenken und einfach weiterkämpfen.

KAPITEL 1

MORTON MERCADO: DER LEICHTATHLETIK-STAR! ODER DOCH EHER EIN ABSTÜRZENDER KOMET, DER SPEKTAKULÄR VERGLÜHT!

Die Woodsword Middle School hatte sich über Nacht verwandelt. Von den Decken hingen bunte Wimpel, die Flure waren mit Postern geschmückt, die alle Kinder ermutigten.

Ein Poster zeigte ein Comic-Gehirn mit Armen, Beinen und Sonnenbrille, das Gewichte stemmte. Darüber stand: SIEGER!

Auf einem anderen Plakat war zu lesen: SIEGER GEBEN NIEMALS AUF! Es zeigte eine Gruppe lächelnder Kinder, die glänzende Medaillen hochhielten.

Und ein drittes versprach: GEMEINSAM WERDEN TRÄUME WAHR! Darauf waren ein Eichhörnchen, ein Streifenhörnchen und ein Hamster einander auf die Schul-

tern geklettert, um einen dampfenden Kuchen von einem hohen Fensterbrett zu holen.

Jodi Mercado lächelte. Sie liebte Farben und Kunst, vor allem aber liebte sie Tiere. **Allerdings war sie sich ziemlich sicher, dass Hamster keinen Kuchen essen.** (Sie beschloss, diese Theorie so bald wie möglich an Baron Zuckerbacke, dem Klassenhamster, und Gräfin Grübchen, dem offiziellen Maskottchen der Bibliothek, zu überprüfen.)

„Hey, Jodi!", rief eine vertraute Stimme. Sie drehte sich um und sah ihren Freund **Tom Chen**. Er klang so fröhlich wie immer. „Gefällt dir unsere Deko?"

„Sehr", sagte Jodi begeistert. „Aber wofür ist die?"

»Diesen Freitag ist Sporttag«, erklärte Shelly Silver. Sie war mit Tom in der Schülervertretung. Bei der Wahl zum Schulsprecher waren sie gegeneinander angetreten, aber jetzt arbeiteten sie zusammen. „Wir feiern das die ganze Woche."

„Der Sporttag!", rief Jodi und schlug sich gegen die Stirn. „Den hätte ich fast vergessen. Meinem Bruder wird das gar nicht gefallen."

„Warum nicht?", fragte Tom. „Er ist doch im Team mit Harriet und Theo, oder?"

„Das könnte etwas schwierig werden", sagte Jodi. „Ich sollte gleich mal **Harriet** und **Theo** suchen. Aber macht schön weiter!"

Jodi streckte Tom und Shelly jeweils einen nach oben gereckten Daumen hin (insgesamt zwei Likes), dann bahnte sie sich zwischen den herabhängenden Wimpeln ihren Weg.

Sie suchte Harriet und Theo im Wissenschaftslabor, wo sie manchmal vor dem Unterricht aushalfen. Dort waren sie nicht, aber Jodi entdeckte ihre MINT-Lehrerin, Doc Culpepper. Sie hüpfte auf der Stelle und fuchtelte mit den Armen, als wollte sie die Aufmerksamkeit von jemandem erregen. Glaskolben und Reagenzgläser klirrten bei jedem Sprung.

»Doc Culpepper?«, fragte Jodi. „Was machen Sie da?"

„Hampelmann!", antwortete die Lehrerin. „Ich trainiere das Team Rot für den Sporttag, da muss ich fit sein!"

Jodi war sich ziemlich sicher, dass die Trainer am Sporttag nur die Anwesenheit kontrollieren und Bänder verteilen mussten. Sie wusste nicht, was Hampelmänner damit zu tun haben sollten. Aber da Doc wild entschlossen schien, zuckte Jodi nur mit den Schultern, winkte ihr kurz zu und verließ den Raum wieder.

Als Nächstes suchte sie Harriet und Theo im Schmetterlingsgarten der Schule. (Der früher *eigentlich* der Computerraum gewesen war, aber … das ist eine lange Geschichte.) Auch hier waren ihre Freunde nicht, dafür aber Miss Minerva. Ihre Lehrerin hockte im Schneidersitz auf dem Boden. Sie hielt die Augen geschlossen und hatte Schmetterlinge in ihren Locken, auf den Armen und Schultern. Einer saß sogar auf ihrer allgegenwärtigen Kaffeetasse.

»Miss Minerva?«, fragte Jodi. „Geht es Ihnen gut?"

Miss Minerva zuckte zusammen, und die Schmetterlinge flogen auf. „Oh! Jodi, hast du mich erschreckt", sagte sie. „Ich habe meditiert. Ich bin die Trainerin von Team Blau, und *ich muss mich fokussieren*, wie man so schön sagt."

Jodi wusste nicht, ob das wirklich irgendjemand so sagte, und sie verstand nicht, was meditieren überhaupt mit dem Sporttag zu tun haben sollte.

Aber sie lächelte höflich und nickte, dann wandte sie sich um und schloss leise die Tür hinter sich.

Schließlich fand sie ihre Freunde im Freien. Sie standen unter dem großen Baum vor der Schule.

Harriet Houston umarmte Jodi. „Guten Morgen!", sagte sie. „Theo hat mir gerade seine neuen Sneaker gezeigt."

Theo Grayson hob einen Fuß. Sein Schuh wirkte sauber und unbenutzt. „Er wurde speziell fürs Laufen gemacht", erklärte er. „Damit kann ich bis zu zwölf Prozent schneller sein!"

„Ich nehme meine normalen Turnschuhe", erwiderte Harriet. „Aber ich habe am Wochenende ein paar neue Dehnübungen gelernt. Dann bin ich schneller und kriege keinen Muskelkater."

»Was ist mit Morton?«, fragte Theo. „Hat er dieses Wochenende trainiert? Eine Staffel ist nur so schnell wie ihr langsamster Läufer."

„Genau das muss ich euch erzählen", sagte Jodi. Sie wusste, dass Harriet und Theo sich auf ihren Bruder **Morton** verließen.

Die drei hatten sich für Team Blau beim Staffellauf an-

gemeldet. Das bedeutete, dass sie nacheinander so schnell laufen mussten, wie sie konnten.

Aber es gab ein Problem. „Hallo, Leute“, sagte eine Stimme. „Tut mir leid, dass ich zu spät bin.“

Jodi erkannte ihren Bruder sofort. Und sie bemerkte die Blicke ihrer Freunde.

Harriet sah überrascht aus. **Theo sah besorgt aus.**

Und Morton sah frustriert aus, als er auf sie zuhumpelte. Er wackelte auf Krücken zu ihnen. Sein Bein war geschient.

„Morton, dein Fuß!“, rief Harriet.

„Was ist passiert?“, fragte Theo.

„Ich hatte einen kleinen Unfall“, erklärte Morton.

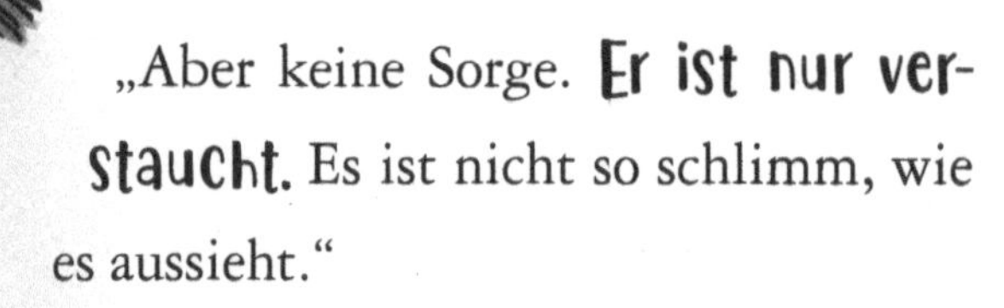

„Aber keine Sorge. **Er ist nur verstaucht.** Es ist nicht so schlimm, wie es aussieht.“

Aber Jodi machte sich Sorgen. Während Morton versuchte, auf den Krücken das Gleichgewicht zu halten, befürchtete sie, dass er umfallen würde.

„Unser Kinderarzt hat gesagt, du sollst dich schonen“, sagte Jodi. „Ich dachte, du bleibst diese Woche zu Hause.“

„Und soll den Sporttag verpassen?“, erwiderte Morton. **»Kommt nicht infrage.«**

„Warte mal“, wandte Theo ein. „Willst du immer noch am Lauf teilnehmen?“

„Morton, ich weiß nicht, ob das eine gute Idee ist“, sagte Harriet.

»Das geht schon«, beharrte Morton. „Ihr werdet sehen.“

Da fiel er beinahe hin, aber Jodi fing ihn auf.

Es würde eine lange Woche werden. Das ahnte sie.

KAPITEL 2

BLAUES FEUER! GUT FÜR EINE GRUSELSZENE, NICHT SO GUT FÜR STOCKBROT!

Morton setzte einen Würfelfuß vor den anderen. **In Minecraft störte ihn seine Verletzung nicht im Geringsten.** Es war eine Erleichterung, dass er sich darüber keine Gedanken machen musste, solange er in dieser hyperrealistischen, virtuell erweiterten Version seines Lieblingsspiels war.

Allerdings gab es hier andere Dinge, über die man sich Sorgen machen sollte.

Morton und seine Freunde waren auf der Suche nach dem Magierkönig, einem ehemaligen Feind, der zum Freund geworden war. Der Magier war eine künstliche Intelligenz – eine digitale Lebensform –, die in mehrere Teile zerfallen war.

Bis jetzt hatten die Freunde vier der Stücke wiedergefunden. Jedes Mal hatte ein digitaler Schmetterling sie zu ihrem Ziel geführt. **Die Schmetterlinge waren deutliche Hinweise,** weil es sie im normalen Minecraft nicht gab. Morton musste es wissen. Er war schließlich ein Experte in Sachen Minecraft.

Jetzt flatterten ein paar Schmetterlinge um ein rechteckiges, vier mal fünf Blöcke großes Bauwerk aus dunkelstem Obsidian. Es war ein Portal zu einer anderen

Minecraft-Dimension. Es leuchtete lilafarben und lockte sie, hindurchzugehen. Mortons Freunde waren bereit, es zu wagen. Aber Morton fühlte sich unbehaglich.

„KONTROLLIERT EUER INVENTAR“, sagte er. „Wir müssen sicher sein, dass wir alles Notwendige haben.“

„Das geht doch gar nicht“, erwiderte Harriet. „Woher sollen wir wissen, was wir brauchen, bevor wir es brauchen?“

„Wir werden mit allem fertig, was wir im Nether antreffen“, rief Tom. Sein Avatar trug eine Toga und einen Lorbeerkranz auf dem Kopf. „Wir sind schon so weit gekommen, oder?“

„Aber die Zeit läuft uns davon“, erwiderte Theo. **DER FEHLER HAT DEN GESAMTEN HIMMEL VERSCHLUNGEN.“** Er zeigte auf die Stelle, an der der Himmel der Oberwelt durch lauter dunkle, wirbelnde Pixel ersetzt worden war. Alle paar Augenblicke blitzte es.

„Morton, was ist los?“, fragte Jodi. „Normalerweise stürzt du dich als Erster in Gefahr.“

„In der Oberwelt vielleicht“, sagte Morton. „Aber im Nether ist es anders.“

„Da waren wir doch schon mal", entgegnete seine Schwester.

„Damals, als wir dachten, der Magier ist unser Feind, weißt du noch?"

Morton schüttelte den Kopf. „Es gab ein Update. Der Nether hat sich verändert. **ER IST GEFÄHRLICHER ALS JE ZUVOR."**

„Na, da haben wir aber Glück!", sagte Jodi und legte Morton eine Würfelhand auf die Schulter. „Wir haben einen Minecraft-*Experten*, der uns den Weg zeigt."

Morton grinste, aber ihm wurde mulmig. **Natürlich**

hatte er alles über den Nether gelesen. Und er war auch schon oft dort gewesen.

Aber seit den letzten Schulwahlen, der Bienenkrise und Jodis misslungenem Haustier-Service hatte er viel zu tun gehabt. Er hatte den Nether schon eine ganze Weile nicht mehr besucht.

Und obwohl er sich selbst gern als Experte bezeichnete, hatte er eigentlich nie alle Herausforderungen im Nether gemeistert. Das könnte ein Problem werden, aber jetzt half ein solches Geständnis gar nichts. Er räusperte sich.

„Halten wir einfach die Augen offen", sagte Morton. „Ich habe das Gefühl ... **DASS DIESES ABENTEUER VIEL GEFÄHRLICHER WIRD.**"

„Wir schaffen das", versicherte Tom.

„Gemeinsam", fügte Harriet hinzu.

„Vermutlich", sagte Theo.

Morton nickte, aber er hing seinen Gedanken nach. Im FEHLER über ihnen zuckten Blitze, und ein seltsamer Wind kam auf und bewegte das Pixelgras und die Pixelblätter. Es gibt keinen Wind in Minecraft, dachte er. Der FEHLER – **das Loch im Spielcode, das entstan-**

den war, als der Magierkönig kaputtgegangen war – verursachte Chaos und veränderte Minecraft auf ganz unerwartete Weise.

Morton hatte Minecraft immer geliebt. Als Doc Culpepper eine VR-Brille entwickelt hatte – eine Brille, mit der sie in das Spiel einsteigen konnten –, war seine Begeisterung noch gewachsen. Diese Version von Minecraft war nur für sie, und es war von Anfang an ein wenig seltsam gewesen. Was sollte er tun, wenn sie durch den FEHLER all das verloren?

„OKAY“, sagte Morton. **„ABER DA DRIN BLEIBEN WIR ZUSAMMEN.** Und wir lassen niemanden zurück, egal, was passiert.“

Er hielt den Atem an, als er durch das Portal trat. Er war kampfbereit. Aber auf der anderen Seite des Portals war alles friedlich. Sie waren auf einer Lichtung in einem seltsamen blaugrünen Wald aus hohen Bäumen und dichtem Rankwerk gelandet. Jemand hatte ein Lager aufgeschlagen, mit ein paar Schatztruhen, die jemand um ein Feuer herum gruppiert hatte. Das Feuer brannte in einem unheimlichen Blauton, und ein Eisengolem stand regungslos daneben.

„Das sieht wie ein Lager aus“, sagte Jodi. „Bewacht der Golem es?“

„Wir sollten die Schatztruhen nicht ausräumen, bevor wir es genau wissen“, ermahnte Harriet die Freunde. „Vielleicht ist das ein Trick.“

„Ach“, seufzte Tom, der schon nach der ersten Truhe griff.

„Ich habe noch nie einen Golem in dieser Farbe getroffen“, sagte Theo.

Morton sah genauer hin. Auf den ersten Blick war er schwer zu erkennen. **Im Nether war es dunkel, und das blaue Feuer ließ alles ein wenig seltsam erscheinen.** Er erkannte, dass Theo mit dem Golem

recht hatte. Morton hatte gedacht, es sei ein Eisengolem, aber die waren hellgrau, wie eine Eisenrüstung. Dieser hier war dunkler.

„Ist das … Netherit?“, fragte er.

Zu seiner Überraschung bekam er eine Antwort!

„Ja“, sagte der Golem, drehte sich um und starrte sie an. **„DA SEID IHR JA ENDLICH.** Ich habe auf euch gewartet. **DIE ZEIT DRÄNGT.“**

Kapitel 3

DER GOLEM SPRICHT! WIRD ER ÜBER DAS WETTER PLAUDERN ODER SIE AUSTRICKSEN, UM DIE GRENZEN VON FREUNDSCHAFT UND KÖNNEN AUSZUTESTEN?

Als der Golem sprach, reagierte Morton, ohne nachzudenken. **Er hatte sein Schwert bereits in der Hand.** Und er war nervös, weil er im Nether sofort Ärger erwartete. Der Golem sah jedenfalls nach Ärger aus. Als er sie mit seinen Worten überraschte, schlug Morton mit dem Schwert zu.

Es war ein Diamantschwert. Eine der stärksten Waffen in Minecraft.

Es schien dem Golem nichts anhaben zu können.

„Ganz ruhig. Es gibt keinen Grund, unhöflich zu werden", sagte der Golem.

„Äh … wie bitte?", erwiderte Morton.

Er betrachtete ein wenig ehrfürchtig und verwirrt sein Schwert, das nichts bewirkt hatte.

„Pack das Schwert weg, Morton!", rief Jodi. „Du kannst froh sein, dass du den armen Golem nicht kaputt gemacht hast!"

„NETHERIT IST VIEL HÄRTER ALS DIAMANT", erklärte Harriet. „Es ist extrem selten. Ich habe noch nie einen Golem aus diesem Material gesehen."

„Weil das unmöglich ist", sagte Theo. „Zumindest im normalen Minecraft."

Tom wandte sich an den Golem, seine Augen weiteten sich vor Ehrfurcht. „DU BIST DAS, WONACH WIR SUCHEN. DU BIST EINER VON DEN MAGIER-SPAWNS.“

Morton dachte, dass Tom wohl recht hatte. Als der Magierkönig zerbrochen war, hatte er die Form von sechs verschiedenen Mobs angenommen. Bis jetzt waren alle Mobs bekannte Minecraft-Kreaturen gewesen, aber mit seltsamen Kräften und Persönlichkeiten. Dieser Golem schien genau in dieses Muster zu passen.

„DAS STIMMT“, sagte der Golem, und seine Stimme dröhnte in seiner riesigen Brust. „Als der Magier zerfiel,

nahmen meine Geschwister und ich seinen Platz ein. Und ihr seid …"

„Wir wollen ihn wieder zusammensetzen", unterbrach Theo ihn überschwänglich.

„Indem wir dich und deine ›Geschwister‹ wieder vereinen", fügte Harriet hinzu.

„WIE EIN FAMILIENTREFFEN!", schlug Jodi fröhlich vor.

„Ich weiß, was ihr tut", sagte der Golem. „Oder sollte ich sagen: Ich weiß, was ihr zu tun *versucht*. Aber schafft ihr das? Da bin ich mir nicht sicher."

„Dann hilf uns", bat Jodi.

„Ja!", rief Tom. „Dann würde alles schneller gehen."

Der Golem blickte die Freunde mit leuchtend roten Augen an.

Er schien Morton besonders lang anzustarren.

„ICH GEBE EUCH, WAS IHR WOLLT“, sagte der Golem. „Und ich werde meine Geschwister wiederfinden.“

„Super!“, jubelte Tom.

„Aber *zuerst*“, fuhr der Golem fort, „müsst ihr eine Prüfung bestehen.“

Tom kreischte entsetzt auf, und der Golem legte verwirrt den Kopf schief. „Was ist mit ihm los?“

„Beachte ihn gar nicht“, sagte Jodi. „ER ÜBERTREIBT NUR GERN MAL.“

„Er hasst Prüfungen“, erklärte Harriet.

„ICH HABE KEINE ANGST VOR PRÜFUNGEN“, sagte Morton. Er drückte die Schultern durch und hob das Kinn. Der Golem ragte immer noch über ihnen auf, aber Morton wollte seine Angst nicht zeigen. „Du willst uns auf die Probe stellen? Nun, das hat die Hexe auch getan. Und der Bienenschwarm.“

„Vergiss nicht die gruselige Höhlenspinne", ergänzte Jodi und schauderte.

„Und das Endermonster!", rief Theo.

„Wow, das waren wirklich ein paar merkwürdige Wochen", sagte Tom und kratzte sich mit der Würfelhand am Würfelkinn.

„Ich will damit sagen, dass wir noch nicht besiegt wurden", erklärte Morton dem Golem. **„WIR HABEN JEDE PRÜFUNG BESTANDEN. WIR HABEN JEDE HERAUSFORDERUNG GEMEISTERT.** Und wir werden all deine Tricks durchschauen."

Der Golem hatte keinen Mund. Umso so seltsamer wirkte es nun, als er den Kopf zurückwarf und lachte.

Morton runzelte die Stirn. „Was ist so lustig?", fragte er.

„Du hast recht", antwortete der Golem. **„BIS JETZT HABT IHR JEDE PRÜFUNG BESTANDEN ... ALS TEAM."** Seine Augen glitzerten im Licht des blauen Lagerfeuers. „Ihr habt gelernt, zusammenzuarbeiten. Aber dieses Mal müsst ihr einzeln antreten."

Mit diesen Worten hob der Golem seinen schiefergrauen Arm.

„Morgen erwarte ich einen von euch, der meinen **FEH-DEHANDSCHUH AUFNIMMT. ALLEIN.“**

Er fuchtelte mit der Würfelfaust vor ihnen herum, und vor Morton wurde alles violett. Er schloss die Augen. Und als er sie wieder öffnete …

War er wieder in der realen Welt. Zurück im Computerbereich der Stonesword-Bibliothek, mit Docs spezieller VR-Brille auf der Nase.

Er sah sich um. Seine Freunde nahmen gerade ihre VR-Brillen ab. Sie sahen genauso überrascht aus, wie er sich fühlte.

„Was ist passiert?", fragte er.

Harriet schüttelte den Kopf. „Das dürfte eigentlich nicht passieren. Aber irgendwie …"

Theo beendete ihren Gedanken. **»Irgendwie hat der Netherit-Golem uns aus Minecraft geschmissen!«**

Kapitel 4

P.E.: STEHT FÜR PIGLIN-EIGENSCHAFTEN! EHRLICH, GEH UND SCHLAG ES NACH. ICH WARTE.

Morton brauchte Antworten, und Theo konnte sie ihm am ehesten liefern.

„Was ist da passiert, Theo?", fragte er. »Und können wir etwas tun, damit er das nicht noch einmal macht?«

„I-ich weiß nicht", stammelte Theo.

„Aber du bist der Programmierer des Teams", sagte Morton. „Du verstehst mehr von Computern als wir alle."

„Ich muss noch eine Menge lernen", gab Theo zu. Er wedelte mit seinem Headset herum. „Das hier ist absolutes Hightech. Selbst Doc versteht nicht ganz, wie es funktioniert, dabei hat sie es entwickelt!"

„Es macht nichts, dass du keine Antworten hast,

Theo." Harriet legte ihm eine Hand auf die Schulter. „Aber wenn du irgendwelche Theorien hast, dann erzähl uns davon."

Theo fuhr sich durch sein Haar. „Nun, wie ihr wisst, habe ich mal den Spielcode gelesen. **Seit der Magier sich verwandelt hat, gibt es ein Loch im Code.«**

„Richtig", sagte Tom. „Deshalb versuchen wir, den Kerl wieder zusammenzusetzen. **Um das Loch zu reparieren.«**

„In der Zwischenzeit ist es immer schlimmer geworden", sagte Theo. „Das Loch wird größer und größer und fängt an, andere Codezeilen zu verändern. Es ist, als ob das ganze Spiel sich verwandeln würde."

Er zuckte mit den Schultern. „Meine Theorie ist, dass

der Netherit-Golem das irgendwie ausnutzen kann. Das Spiel verändert sich, und der Golem hat eine gewisse Macht darüber, *wie* es sich verändert. Der Golem ist wie ein Modder, der den Code in Echtzeit umschreiben kann … von innen heraus."

»Dann hoffen wir mal, dass der Golem keine fiesen Tricks benutzt, wenn er uns prüft«, warf Harriet ein.

Tom stöhnte. „Warum muss es eine Prüfung sein?", fragte er.

„Hey, wenn es eine Prüfung ist … dann können wir doch dafür lernen", erwiderte Morton. Er grinste. „Das heißt, ich muss jetzt etwas recherchieren."

Am nächsten Tag, während des Sportunterrichts, durften alle für den bevorstehenden Sporttag trainieren. Harriet und Theo liefen auf der Bahn, Tom spielte Basketball, und Jodi übte werfen.

Morton hockte auf der Tribüne. Aber das passte ihm gut. **Er musste eine Menge Minecraft-Lesestoff bewältigen.**

Am Abend zuvor hatte Morton Informationen über den Nether auf sein Tablet geladen. **Er wollte sich gründlich auf die Prüfung des Golems vorbereiten.** Aber er war sich nicht sicher, ob er es rechtzeitig schaffen würde.

Morton war erst ein paarmal im Nether gewesen, seit dieser mit neuen Biomen aktualisiert worden war. Einmal hatte er sich hoffnungslos verirrt, als er allein zu Hause gespielt hatte. Ein anderes Mal war er von einem Feuer überrascht und vom Hochsitz gestoßen worden und hatte verloren.

Wenn man im normalen Minecraft keine Lebenspunkte mehr hatte, konnte man sich wiederbeleben. Aber Morton hatte damals seine gesamte beste Ausrüstung im Nether verloren. Seitdem war er nicht mehr dorthin zurückgekehrt.

Aber jetzt blieb ihm keine andere Wahl. Und **er hatte keine Ahnung, was passieren würde, wenn ihm in der seltsamen Version von Minecraft,** die der Magier-Spawn sein Zuhause nannte, **die Gesundheitspunkte ausgingen.**

„Schwänzt du Sport? Kann ich verstehen", sagte eine Stimme. Morton sah auf und erblickte Mister Mallory, den Bibliothekar. „An den meisten Tagen würde ich lieber lesen, als Sport zu treiben."

Morton zeigte ihm seinen verletzten Fuß. „Das liegt nicht an mir", erwiderte er. „Ich soll meinen Fuß nicht belasten. Ich habe ihn mir verstaucht, als ich am Wochenende auf einen Baum geklettert bin." Er dachte eine

Sekunde nach. „Also das Klettern war nicht schlimm. Aber der Sturz *vom* Baum."

Mister Mallory sah in erschrocken an. „Und genau deshalb **halte ich mich lieber an Bücher.**« Er warf einen Blick auf Mortons Tablet. „Obwohl das Buch mir Albträume bereiten würde. Ist das ein Schweinemensch?"

»**Ein Piglin**«, antwortete Morton. „Aus Minecraft."

„Das dachte ich mir", sagte Mister Mallory. „Du nimmst das Spiel sehr ernst, oder?"

Morton zuckte mit den Schultern. »**Ich bin Teil des Teams**«, erklärte er. „Meine Freunde verlassen sich darauf, dass ich alles über das Spiel weiß."

„Das hört sich an, als ob sie dich ziemlich unter Druck setzen", sagte Mister Mallory. „Oder machst du dir selbst Druck?"

Morton wusste nicht genau, was der Bibliothekar damit meinte. Er wollte ihn gerade fragen, als die Stimme von Miss Minerva ertönte: „Da sind Sie ja, Mister Mallory! **Haben Sie meine Bücher dabei?**«

Mister Mallory lächelte, als die Lehrerin auf ihn zukam. „Deshalb bin ich hier", sagte er.

„Enttäuschend!", rief Doc, die aus einer anderen Rich-

tung herbeieilte. »**Ich habe gehofft, Sie bringen den Hamster!**«

„Ich habe beides dabei“, sagte Mister Mallory. »**Ich stelle mich nicht auf eine Seite, schon vergessen?**«

Als Morton die drei Erwachsenen in einer Reihe sah, fiel ihm etwas an ihrer Kleidung auf. Miss Minerva trug Blau für ihr Team, und Doc trug Rot für ihres. Mister Mallory trug *Lila*. Morton wusste, dass Lila eine Mischung aus Rot und Blau ist.

»**Wollen Sie immer noch unparteiisch bleiben?**«, stieß Miss Minerva hervor.

„Wie schade!“, sagte Doc. „Nur Anhänger des Teams Rot dürfen am Sporttag meine Hightech-Massagesessel benutzen.“

Miss Minerva schnalzte mit der Zunge. „Vom Ruckeln dieser Stühle fallen Ihnen die Füllungen aus den Zähnen.“

Mister Mallory erwiderte kein Wort. Er stellte seinen Rucksack auf der Tribüne ab und öffnete ihn. Er zog einen Stapel Bücher für Miss Minerva heraus. Darin ging es um Bewegung und gesunde Ernährung.

»**Wissen entscheidet über Sieg oder Niederlage**«, erklärte sie und eilte davon.

Dann holte Mister Mallory einen kleinen Käfig hervor. Darin saß Gräfin Grübchen, der Bibliothekshamster.

„Jetzt haben beide Teams einen Hamster", sagte Doc. „Das ist nur fair!" Sie nahm den Käfig und flitzte zurück zum Schulgebäude.

Mister Mallory schüttelte den Kopf. „Siehst du?", sagte er. „Sport macht seltsame Dinge mit den Menschen. Du hast Glück, dass du den Sporttag schwänzen kannst."

Morton errötete. **»Ich werde den Sporttag nicht schwänzen«**, sagte er. „Bis dahin geht's mir wieder gut."

Mister Mallory warf einen Blick auf Mortons verletzten Fuß. „Ich hoffe, du hast recht", sagte er. „Viel Glück, Morton, und gute Besserung." Während er zurück in die Bibliothek ging, tauchten Harriet und Theo auf.

Morton versteckte schnell sein Tablet. Er wollte nicht, dass seine Freunde merkten, dass er auf den Nether nicht vorbereitet war. Vor allem Theo sollte es nicht merken. **Theo kannte sich mit Minecraft fast genauso gut aus wie er,** und das brachte Morton manchmal in Verlegenheit. Es fühlte sich ein bisschen so an, als würden er und Theo miteinander konkurrieren, obwohl sie im selben Team waren.

»War das Gräfin Grübchen?«, fragte Harriet. „Was macht sie denn hier?"

„Anscheinend Team Rot anfeuern", antwortete Morton beiläufig.

»Was den Sporttag angeht«, sagte Theo. „Wir machen uns Sorgen."

Morton verschränkte die Arme. „Worüber?"

„Wir haben mit Jodi gesprochen", erklärte Theo. „Sie sagt, du musst noch mindestens eine Woche an Krücken gehen."

„Das stimmt nicht!", entgegnete Morton. „Die Ärztin hat gemeint, dass man das nicht genau sagen kann. Sie meinte, dass jeder unterschiedlich schnell gesund wird!"

Harriet hob beschwichtigend die Hand. „Das verstehen wir. Und genau deshalb sind wir besorgt. Wir wollen, dass du dich auskurierst, egal, wie lange es dauert. Wenn du dich überanstrengst, könnte alles nur schlimmer werden."

„Wir haben mit Miss Minerva gesprochen", ergänzte Theo. „Sie sagte, du kannst die Sportart wechseln. Wir müssen nur einen Ersatz finden."

„Ihr wollt mich ersetzen?" Morton blieb der Mund offen stehen. „Auf keinen Fall! Ich werde fit sein. Ich fühl mich schon viel besser!“ Er drehte sich um und sah Harriet an. »Vertraut mir.«

„Also gut“, sagte Harriet zögernd. „Wenn du dir sicher bist.“

„Ich bin mir sicher“, beharrte Morton. „*Wirklich*.“

Er bemühte sich, dass seine Stimme fest klang und sein Blick ruhig blieb. **Aber sein Knöchel schmerzte ein wenig, während er sprach.**

Kapitel 5

IN UNENDLICHEN FANTASY-WELTEN IST NETHERIT DER FAVORIT, NICHT WAHR?

An diesem Nachmittag kehrten sie in den Nether zurück. Das Seelenfeuer brannte noch immer. Der Netherit-Golem stand genau dort, wo sie ihn zurückgelassen hatten.

„Wir sind bereit", erklärte Morton. **„WIR NEHMEN DEINE HERAUSFORDERUNG AN."**

Die dunklen Augen des Golems funkelten. „Sehr gut", sagte der Mob. „Wer von euch tritt zur Prüfung an?"

Morton versuchte, ruhig und zuversichtlich zu wirken, als er vortrat. Das war nicht leicht. Der Golem war viel größer als er, mit starken Armen, breiten Schultern und dunklen Augen. Rote Ranken schlängelten sich um seinen Netherit-Körper.

„Ich. Ich mach's", sagte Morton. „Wir haben abgestimmt."

Die Abstimmung war fast einstimmig gewesen, nur Theo hatte für sich selbst gestimmt. Und Tom hatte für den Klassenhamster gestimmt, aber Jodi hatte darauf hingewiesen, dass die VR-Brille Baron Zuckerbacke nicht passen würde.

Der Golem sagte: **„SO SEI ES. HÖR GUT ZU, DANN SAGE ICH DIR, WAS DU ZU TUN HAST.“**

Morton nickte.

„Nördlich von hier gibt es eine Festung. Im Inneren dieser Festung steht eine Truhe. In dieser Truhe liegt ein Gegenstand, der mir sehr wichtig ist. Bring ihn her, und ich werde mich euch ergeben.“

„Das war's?“, fragte Morton. **„ICH SOLL EINEN GEGENSTAND FÜR DICH HOLEN?“**

„Genau das“, sagte der Golem. Seine Pixelaugen funkelten belustigt. „Aber nimm die Aufgabe nicht auf die leichte Schulter. Der Nether ist ein gefährlicher Ort.

Ein sehr gefährlicher. Und jeder von euch muss sich ihm allein stellen."

„WAS, WENN MORTON ES NICHT SCHAFFT?", fragte Theo.

„Theo!", rief Harriet. „Hab ein bisschen Vertrauen."

„Hab ich ja", erwiderte Theo. „Aber das ist eine wichtige Frage."

„Wenn er versagt, muss es ein anderer versuchen", antwortete der Golem. „Und dann noch einer. Bis der Gegenstand hier ist ... ODER BIS IHR ALLE FÜNF VERSAGT HABT."

„Wir haben also fünf Chancen", stellte Theo fest.

„Wir brauchen keine fünf Chancen", sagte Morton. „Leute, ich hab das im Griff."

„Wir wissen, dass du es kannst." Tom nickte.

„Wir glauben an dich!", rief Jodi.

„Die Truhen sind voller nützlicher Dinge", erklärte der Golem. „NIMM DIR, WAS IMMER DU WILLST."

Morton verspürte bei diesen Worten ein freudiges

Kribbeln. Eins war sicher: Den Inhalt einer Minecraft-Truhe zu untersuchen, war aufregender als das Auspacken eines Geburtstagsgeschenks.

Und in den Truhen des Golems waren unzählige Dinge.

„Ist das … eine Netherit-Rüstung?“, staunte Morton. „Und ein Schwert! Es würde ewig dauern, genug Netherit zu finden, um das alles herzustellen!“

„WAS IST NETHERIT?“, fragte Jodi.

„Es ist das härteste und haltbarste Material im ganzen Spiel“, erklärte Morton mit einem breiten Grinsen auf dem Gesicht seines Avatars.

„Ich dachte, das wäre Diamant", sagte seine Schwester.

„Das war es mal", ergänzte Theo. „Netherit wurde bei einem Update hinzugefügt."

Jodi warf die Würfelhände hoch. „Ich komm nicht mehr mit!"

Morton lächelte immer noch. „Alles, was du wissen musst, ist, dass dieses Zeug mich unschlagbar macht!" Er begann, seine alte Rüstung gegen das dunkelgraue Upgrade auszutauschen.

„Warte mal", wandte Theo ein. „Bist du sicher, dass du das ganze Set nehmen solltest?"

„Klar, bin ich mir sicher", erwiderte Morton selbstbewusst. „Warum nicht?"

„Na ja …", sagte Theo.

Morton sah, wie er zu Harriet blickte.

„Ich … glaube, ich weiß, worauf Theo hinauswill", mischte sich Harriet ein. „Angenommen, du … schaffst es nicht. Dann muss einer von uns gehen. Ohne Netherit-Rüstung."

„Und wenn du nur ein Teil nimmst?", schlug Theo vor. „Dann bleibt für uns etwas übrig."

„DAS IST EIN GEMEINER VORSCHLAG", rief

Morton. „Wenn ich eine gute Ausrüstung zurücklasse, wird meine Chance kleiner, dass ich es schaffe.

„ES IST SCHLAUER, MEINE CHANCEN ZU VERSSERN.“ Er wandte sich an Tom und Jodi. „Das findet ihr doch auch, oder?“

Jodi nickte. „Ich möchte, dass mein Bruder gesund und munter zurückkommt. Wir können uns die Rüstung teilen, *wenn* du zurück bist.“

„Tom?“, drängte Morton.

„Frag mich nicht“, sagte Tom.

„ICH HABE FÜR BARON ZUCKERBACKE GESTIMMT.“

Für Morton war die Sache damit erledigt. Wenn Theo oder Harriet sauer auf ihn waren, konnte er sich später entschuldigen, nachdem er mit der Trophäe des Golems zurückgekehrt war … was auch immer es war.

„Wonach suche ich eigentlich?“, fragte er den Golem. „Diese Truhen sind voll mit wertvollen Sachen. Was vermisst du denn?“

„EINEN GEGENSTAND VON GERINGEM NUTZEN, ABER GROßEM WERT“, sagte der Golem. „Bring ihn mir, Morton Mercado.“ Seine Augen schimmerten im Schein des Lagerfeuers. „Versagst du … werden die Konsequenzen schlimmer sein, als du dir vorstellen kannst.“

Kapitel 6

MORTON MERCADO: ALLEIN IM NETHER! ER WIRD DIE RÜSTUNG BRAUCHEN. UND SEHR VIEL GLÜCK!

Mortons Solo-Abenteuer im Nether fing gut an. Er fühlte sich sicher in seiner vollständigen Netherit-Rüstung. Aber das war nicht alles, was er aus dem Lager des Golems mitgenommen hatte. Er hatte Bogen und Pfeile, gekochtes Essen, einen Schild, der ihn vor Feuerbällen schützte, und Tränke, die ihm ein paar Vorteile verschafften. Kurzum, er fühlte sich für alles gerüstet, was im Nether auf ihn zukommen könnte.

Seine erste Aufgabe war es, den Wirrwald zu durchqueren. **Er war voller Endermen,** aber das war kein Problem. Morton hatte einen Kürbis aus den Truhen des Golems mitgenommen.

Er trug ihn jetzt, sodass er unbehelligt an den Endermen vorbeilaufen konnte.

Wenn dies die Prüfung war, dann würde Morton sie mit Bravour bestehen.

Der Wald endete an einer steilen Felswand. Morton erklomm sie, indem er eine Treppe herausschlug. Er benutzte eine Diamantspitzhacke, was es einfach machte.

Oben angekommen, keuchte Morton. Er konnte weit in die Ferne sehen. Der Nether war genauso seltsam, wie er ihn in Erinnerung hatte. Große Kreaturen schwebten in der Luft; sie hatten ihn noch nicht gesehen. Ein Deckengewölbe versperrte den Blick zum Himmel, auf die Sonne oder die Sterne. **Vor ihm erstreckte sich ein riesiges Lavameer, das** zu einem Seelensandtal führte. Dahinter war ein Bauwerk zu erkennen.

Es waren die Überbleibsel einer Bastion. Das musste die „Festung" sein, die der Golem erwähnt hatte. **Dort würde er den Schatz finden.** Da war Morton sich sicher.

Er sah kurz hinter sich. Dort breitete sich der Wirrwald aus. Seine Freunde waren da unten und verließen sich auf ihn.

Er konnte sie durch die Bäume nicht sehen, aber er wusste, dass sie da waren. Er würde sie nicht im Stich lassen.

Morton stieg die Klippe hinunter. **Unter ihm lag ein Lavameer.** Es erstreckte sich über mehr als hundert Blöcke. Er musste einen Weg finden, es zu überqueren.

Es sei denn … was wäre, wenn er unter ihm entlanggraben würde?

Es war eine riskante Entscheidung. Aber alle seine Entscheidungen waren riskant, und beim Graben eines Tunnels würde er zumindest den fliegenden Mobs nicht auffallen.

Also grub er. Er begann mit einem Loch. Als er zwanzig Blöcke tief war, grub er sich einen Weg nach vorn. Bald war er unter der Lava und drang in dem unterirdischen Gang, den er selbst schuf, immer weiter vor. **Unterwegs brachte er Fackeln an** und zählte seine Schritte.

Morton wusste, dass selbst eine Diamantspitzhacke irgendwann abgenutzt sein würde. Er warf einen kurzen Blick auf den Haltbarkeitsbalken des Werkzeugs und sah, dass es fast verbraucht war. Er hatte gehofft, den ganzen Weg zur Festung damit graben zu können, aber das war unmöglich. Also begann er, nachdem er hundert Schritte gezählt hatte, sich schräg nach oben zu arbeiten.

Nach wenigen Schlägen traf er auf Lava!

Hundert Schritte waren offensichtlich nicht weit genug gewesen. Morton war immer noch unter dem Lavasee. Und jetzt quoll die Lava herein und füllte seinen Tunnel. Sie umschloss ihn wie eine heiße, glühende Hand, und als sie ihn berührte, brannte er.

Morton stellte rasch ein Paar Netherrack-Blöcke auf. Dieser Damm hielt die Lava zurück. Aber Morton stand immer noch in Flammen!

Er hatte mit so etwas gerechnet. Im Nether gab es eine Menge Gefahren durch Feuer. **Er zog einen Trank der Feuerresistenz aus seinem Inventar** und stürzte ihn hinunter.

So war er relativ sicher, während er darauf wartete, dass das Feuer erlosch.

In dieser Version von Minecraft konnte Morton spüren, wenn er Schaden nahm. Lava und Flammen waren unangenehm, aber die Wirkung des Trankes war kühl und beruhigend für seine digitale Haut.

„DAS MACHEN WIR BESSER NICHT NOCH MAL", sagte er und merkte dann, dass er mit sich selbst sprach. Er vermisste seine Freunde mehr, als er gedacht hätte.

Morton grub seinen Tunnel seitlich, um die Stelle herum, die mit Lava vollgelaufen war. Erst nach weiteren hundert Schritten grub er wieder nach oben. Diesmal schluckte er zuerst einen Trank der Feuerresistenz, aber da war keine Lava. Nur Himmel – oder was auch immer im Nether der Himmel war.

Morton sprang an die Oberfläche. Er wusste, dass er schnell herausfinden musste, in welchem Biom er sich befand. **Jedes Biom im Nether brachte neue Bedrohungen mit sich.**

Schon wurde er von Pfeilen getroffen. Er spürte sie, sogar durch seine starke Rüstung hindurch. Er drehte sich um und wollte wegrennen, aber er war ganz *langsam.* Der Sand unter seinen Füßen wirkte wie nasser Zement.

Er war in einem Seelensandtal. Skelette umzingelten ihn und schossen unentwegt Pfeile auf ihn ab.

Morton zog sein Schwert. **Dies würde ein langer Tag werden.**

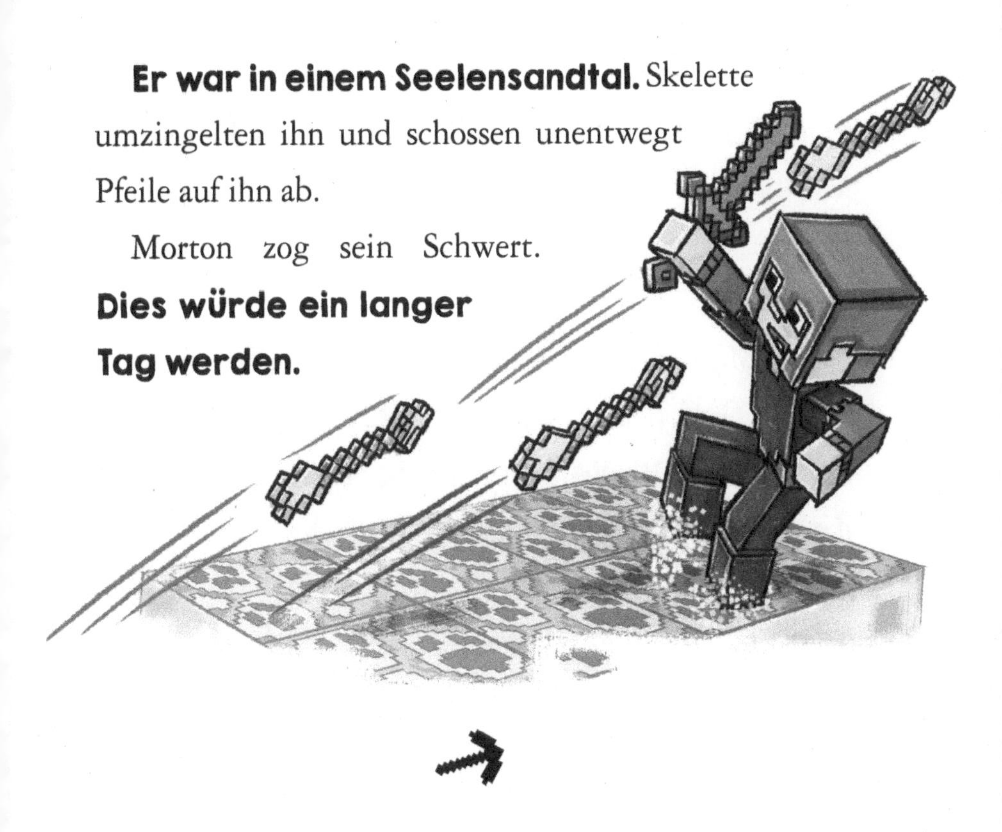

Als Morton schließlich die Überreste der Bastion erreichte, war er erschöpft. Er hatte den ganzen Weg über kämpfen müssen, und seine Rüstung und seine Waffen waren fast völlig abgenutzt. Er hatte keine Tränke mehr, keine *Nahrung,* und seine Gesundheit war auf einem gefährlich niedrigen Stand.

Jetzt wurde ihm klar, was ihm ganz besonders fehlte: **Gold.**

Auf der Ruine der Bastion wimmelte es nur so von Piglins. Sie waren angsteinflößend und seltsam. Morton war ihnen natürlich schon häufig begegnet. Aber nicht annähernd so oft wie den verschiedenen Mobs in der Oberwelt.

Für Morton war das Interessanteste an den Piglins, dass sie Gold liebten. **Ein feindlicher Piglin wurde sogar eine Weile freundlich, wenn ein Spieler ihm Gold gab.**

Das Tragen einer goldenen Rüstung half auch. Und in der Kriegstruhe des Netherit-Golems war ein Goldhelm gewesen. Aber Morton hatte ihn gegen einen Netherit-Helm eingetauscht.

Und seine Netherit-Rüstung hatte ziemlichen Schaden genommen.

Morton beschloss, dass er am besten heimlich vorging. Er hatte einen Trank der Unsichtbarkeit ... Aber um völlig unsichtbar zu werden, musste er seine Rüstung ablegen. Und das schien ihm ein zu großes Risiko zu sein, **selbst wenn seine Rüstung beschädigt war.**

Also ging Morton es langsam an. Er versteckte sich hinter einem Pfeiler und kroch dann weiter. Es gab eine

Menge dunkler Ecken, in denen man sich verbergen konnte. Das wussten auch die Piglins.

Konnte er wirklich allen aus dem Weg gehen?

Natürlich nicht. Ein Piglin entdeckte ihn. Er grunzte grauenerregend.

Morton sprang vor und schwang sein Netherit-Schwert. Er schlug den Piglin zurück – doch zu spät. Das Gegrunze hatte bereits seine rüsseligen Geschwister angelockt. Mit erhobenen Schwertern und Äxten stürmten sie auf Morton zu.

Er schwang sein eigenes Schwert in weitem Bogen. **Gegen so viele Mobs kam er nicht an.** Aber er hoffte, dass er sie sich vom Leib halten konnte, während er durch die Ruine rannte.

Durch eine Lücke in der Horde entdeckte er eine einsame Schatztruhe im Freien. Er war so nah dran.

Aber doch zu weit weg. Ein Piglin griff ihn von hinten an, und als er sich umdrehte und ihn wegschlug, tauchten zwei neue auf.

Sie umzingelten Morton. Es waren zu viele. Ihm war, als würde er ertrinken.

Morton sank auf die Knie.

„NEIN!“, rief er trotzig. **„NEIN, ICH WERDE NICHT VERLIEREN! ICH DARF NICHT!“**

Aber er hatte verloren.

Morton wurde ohnmächtig und stürzte besiegt zu Boden.

Kapitel 7

GESCHLAGEN UND BESIEGT. DER BITTERE GESCHMACK DER NIEDERLAGE. SCHLIMMER ALS GEMÜSE ZUM MITTAGESSEN!

Jodi war erschrocken. Eben war sie noch mit ihren Freunden in Minecraft gewesen, hatte in das unheimliche blaue Feuer gestarrt und auf ihren Bruder gewartet.

Und plötzlich saß sie wieder im Computerraum der Stonesword-Bibliothek.

Theo riss sich die VR-Brille ab. „Wir sind rausgeflogen! Schon wieder."

Jodi vergewisserte sich rasch, ob Morton auch dabei war. Das war er, obwohl er nicht sehr glücklich aussah. Als er seine Schutzbrille abnahm, wirkte er wütend und ziemlich verlegen.

»**Ich … bin durchgefallen**«, sagte er und umkrallte seine Brille.

Alle schnappten nach Luft. Sogar Jodi. Sie konnte es sich nicht verkneifen. Ihr Bruder war ein Minecraft-Meister. Er hatte noch nie versagt!

„Ich war so nah dran", sagte er. „Ich konnte die Truhe *sehen*."

„Du hast bestimmt dein Bestes getan, Morton", tröstete Harriet ihn.

„Ich wette, du warst heldenhaft", sagte Tom. »**Bist du wenigstens mit Karacho untergegangen?**«

„Ja." Morton lächelte ein wenig. „Ja, ich habe nicht kampflos aufgegeben."

„Etwas Gutes hat es allerdings", sagte Theo. „In dieser Version von Minecraft wurden wir schon mal besiegt. Ich hatte befürchtet, es würde Auswirkungen in der realen Welt haben." Er musterte Morton von oben bis unten. „Aber dir scheint es gut zu gehen. Ist alles okay?"

»**Ja, mir geht's gut**«, sagte Morton und streckte sich. „Ich fühle mich wie immer. Aber besiegt zu werden … das tat weh. Ich konnte jeden Treffer spüren, sogar durch die Netherit-Rüstung."

„Und das ist das Blöde", erklärte Theo. „Du hast die beste Rüstung genommen. Und wenn es so funktioniert wie Minecraft normalerweise, dann liegt deine ganze Ausrüstung jetzt da, wo du besiegt wurdest. Und das nützt uns gar nichts."

Einen Moment lang **dachte Jodi, Morton würde sich entschuldigen.**

Sie dachte, dass ihr Bruder ihnen erzählen würde, was er gesehen hatte, damit sie alle aus seiner Niederlage lernen könnten.

Aber Morton gefiel es offensichtlich nicht, wie Theo mit ihm sprach. Es klang, als würde Theo Morton vorwerfen, die Gegenstände des Golems verschwendet zu haben.

Morton entschuldigte sich nicht, stattdessen schrie er: »**Die Netherit-Rüstung würde euch auch nicht helfen!** Wenn ich diese Prüfung nicht bestehen konnte, hat keiner von euch eine Chance. Eine Rüstung ändert daran auch nichts."

Jodi sah ihren Bruder fassungslos an. „Morton!“, empörte sie sich. **»Das ist jetzt nicht dein Ernst!«**

„Viel Glück im Nether, wer auch immer als Nächstes reingeht“, sagte Morton. „Ich werde jedenfalls nicht zusehen, wie ihr einer nach dem anderen versagt.“

Und so schnell, wie seine Krücken es zuließen, humpelte Morton aus der Stonesword-Bibliothek.

In den nächsten Stunden versuchte Jodi, sich mit ihrem Bruder zu versöhnen. Aber Morton machte es ihr nicht leicht.

Auf der Heimfahrt schmollte er und starrte die ganze Zeit aus dem Busfenster.

Vor dem Abendessen verkroch er sich in seinem Zimmer und drehte die Musik laut, um ihr Klopfen zu übertönen.

Sie wusste, dass sie ihr **streng geheimes, hochtechnologisches, KI-befallenes, VR-gesteuer-**

tes Minecraft-Spiel beim Abendessen besser nicht erwähnen sollte, wo ihre Eltern alle möglichen Fragen stellen würden. Ganz zu schweigen von den wilden und gefährlichen Abenteuern, die sie manchmal erlebten.

Aber nach dem Abendessen entdeckte sie Morton vor dem Haus. „Was machst du da?", fragte sie ihn.

»**Trainieren**«, sagte er.

Für Jodi sah das ein wenig leichtsinnig aus. Sie beobachtete, wie er den Gehweg entlanglief und praktisch über das Pflaster wirbelte. So schnell hatte sie noch nie jemanden auf Krücken gehen sehen.

„Morton, nicht so schnell!", rief sie. »**Du fällst noch hin.**«

„Nein, tue ich nicht", knurrte er mit zusammengebissenen Zähnen. Aber noch während er das sagte, stolperte er. Glücklicherweise fiel er so, dass Jodi ihn auffangen konnte.

„Darf ich sagen, dass ich es dir gesagt habe?", fragte sie.

Morton blickte sie finster an und löste sich aus ihren Armen. „Du verstehst das nicht. Ich muss für den Sporttag schneller werden. Ich will Theo und Harriet nicht ausbremsen. Und ich will nicht … **Ich will nicht, dass sie mich ersetzen.**«

Jodi verschränkte die Arme. „Ich weiß nicht, ob ich dich aufmuntern oder dir erklären soll, dass du egoistisch bist.“

Morton seufzte. Er ließ sich auf die niedrige Gartenmauer fallen. »**Ich bin für das Erste**«, sagte er.

Jodi setzte sich neben ihn. „Wäre es wirklich ein Weltuntergang, wenn sie den Staffellauf ohne dich machen würden?“

„Es geht nicht nur um den Staffellauf“, erklärte Morton. „Es geht um diese ganze Minecraft-Sache und den Nether. Ich war doch der Experte! Aber Docs VR-Brille hat das Spiel so seltsam gemacht, und dann hat der Ma-

gier auch noch alles Mögliche verändert. Und heute konnte ich nicht einmal allein den Nether durchqueren.

Hätte ich nur ein einziges goldenes Rüstungsteil getragen, hätte ich gewinnen können."

»**Du kannst immer noch gewinnen**«, sagte Jodi. „Indem du uns hilfst, zu gewinnen. Harriet nimmt morgen die Herausforderung an. Erzähl ihr alles, was du weißt. Alles, was du gesehen hast! Gab es Riesen-Piglins? Oder Endermen mit Heugabeln?"

„Das ist egal." Morton schüttelte den Kopf. „Wie Theo schon gesagt hat, ich habe alle guten Gegenstände vergeudet. Es tut mir leid, Jodi, aber Harriet hat morgen keine Chance." Er stand auf und humpelte davon. „Und ich werde nicht dabei sein, wenn sie besiegt wird. **Sie muss es ohne mich schaffen.**«

Kapitel 8

HARRIET, HARRIET, DU SCHAFFST DAS! ODER? DAS GANZE TEAM ZÄHLT AUF DICH, WIRKLICH!

Als der Golem nach dem nächsten Freiwilligen fragte, trat Harriet vor. Sie zögerte nicht. Und obwohl sie ein bisschen Angst hatte, zeigte sie es nicht. **Was immer auch geschehen würde, ihre Freunde waren da und feuerten sie an.**

Nun ja … *die meisten* ihrer Freunde waren da. Morton war an diesem Tag nicht in die Bibliothek gekommen.

„Wähle deine Werkzeuge“, sagte der Golem.

„WENN NOCH WAS GUTES ÜBRIG IST“, murmelte Theo, gerade laut genug, dass sie es hören konnte.

Aber Harriet machte sich darüber keine Sorgen. Morton hatte eine Menge nützlicher Gegenstände mitgenommen, allerdings hatte er nicht an die nützlichen *Zutaten* gedacht.

Harriet würde ihre *eigenen* Werkzeuge herstellen.

Und zufällig enthielt die erste Truhe, in die sie schaute, eine Fülle von Netherwarzen.

„Das ist super!", rief sie. **„MORTON HAT ZWAR ALLE TRÄNKE MITGENOMMEN, ABER HIERMIT KANN ICH MEINE EIGENEN BRAUEN."**

„Wofür brauchst du Tränke?", fragte Jodi.

„Es gibt viel Lava im Nether", erklärte Harriet. „Lava ist sehr gefährlich ... **AUßER MAN HAT EINEN TRANK DER FEUERRESISTENZ.** Dann kann sie dir nichts anhaben."

Tom blieb der Mund offen stehen. „Du willst durch die Lava *schwimmen*? Harriet, du bist meine Heldin!“

Harriet grinste. „Ziemlich cool, oder? Versucht das nur nicht am Sporttag, Leute.“

Harriet lief durch den Wirrwald, über die Klippe und hinunter zum Ufer des großen Lavameers. Von dort sah sie nichts als Lava. Sie würde schnell sein müssen.

Sie trank ihren frisch gebrauten orangefarbenen Trank in einem Zug aus. Dann bereitete sie sich auf den Sprung vor – aber sie zögerte. Sie hatte Vertrauen in ihren Trank; sie war sich sicher, dass sie ihn richtig gemacht hatte. Doch der Gedanke, in die Lava einzutauchen, machte sie nervös.

Aber es gab kein Zurück mehr. **Sie stürzte sich kopfüber in die Lava.** Und spürte gar nichts!

Harriet begann zu schwimmen. Sie wusste, dass sie nur ein paar Minuten Zeit hatte, bevor der Trank nachlassen würde, also musste sie sich beeilen.

Als sie die Hälfte des Sees hinter sich hatte, wurde ihr

klar, dass sie die restliche Strecke nicht mehr schaffen würde. Aber das war in Ordnung. **Harriet hatte vorgesorgt.**

Sie legte einige Steinblöcke vor sich ab, sodass eine kleine Insel aus zwei mal zwei Steinen in der Mitte des Sees entstand. Sie sprang auf die Insel und stellte ihren Braustand auf. Dann braute sie einen weiteren Trank und schluckte ihn sofort.

Sie beschloss, den Braustand dort stehen zu lassen, wo er war. Er würde ihr auf dem Rückweg nützlich sein. Sie ließ sogar einige wichtige Zutaten zurück, damit sie schnell einen neuen Trank zubereiten konnte.

Während Harriet weiterschwamm, **zog ein Schatten über sie hinweg.**

Sie erschrak. Im Nether gab es keine Wolken. Was war das? Sie blickte auf, und ein großer, furchterregender Ghast schwebte über ihr. Seine Tentakel hingen tief, und er gab einen gequälten Laut von sich.

Harriet tauchte unter die Oberfläche. Hatte der Ghast sie gesehen? Sie wartete ein paar Sekunden. Lange würde sie das nicht aushalten. **Sie musste auftauchen, um Luft zu holen!**

Harriet schwamm nach oben. Erleichtert stellte sie fest, dass der Ghast weg war.

Aber Harriet hatte wertvolle Zeit verloren. Wie lang war sie in der Lava gewesen?

Unentschlossen zögerte sie. Sollte sie zum fernen Ufer schwimmen? Sollte sie zu ihrer Insel aus Stein zurückkehren, um einen weiteren Trank zu brauen?

Sie verlor weitere wertvolle Sekunden. **Ihre Zeit lief ab.**

Plötzlich spürte Harriet die Hitze der Lava. Sie umschloss sie wie eine feurige Faust. Schon sah sie die Flammen auf ihren Armen!

Harriet schrie um Hilfe, **aber niemand war in der Nähe, der sie hörte.**

»Harriet! Geht es dir gut?«

Sie blinzelte. Sie war in der Bibliothek – in Sicherheit. Theo und die anderen sahen sie besorgt an. **Hatte sie im echten Leben auch geschrien?**

Mister Mallory kam um die Ecke gerannt. „Was ist passiert?", fragte er.

„Es tut mir leid, Mister Mallory", sagte Harriet. „Ich habe ein Computerspiel gespielt, und mein Avatar war in Lava gefangen. Es … es sah so echt aus.«

Theo runzelte die Stirn, als er begriff, was das bedeutete.

Harriet hatte die Prüfung des Golems nicht bestanden.

Aber Mister Mallory lächelte. „Gott sei Dank. Ich dachte schon, es wäre etwas passiert.“

„Es ist alles in Ordnung, ehrlich“, beharrte Harriet. Das alles war ihr so peinlich. **Ihre Wangen wurden heiß.**

Es fühlte sich ein bisschen so an, als wäre sie immer noch in diesem unbarmherzigen Lavameer.

Kapitel 9

THEO, THEO, UNSER MANN! WENN ER ES NICHT SCHAFFT, DANN KEINER! ABER NUR KEINEN DRUCK. ALLES GANZ ENTSPANNT.

Theo war ganz fest entschlossen, das zu schaffen, was seine Freunde nicht hinbekommen hatten. Er wartete nicht einmal darauf, dass der Golem ihn fragte. Er schritt sofort auf den Mob zu und verkündete: „Ich bin der Nächste."

„WÄHLE DEINE WERKZEUGE", sagte der Golem. Theo meinte, im Tonfall des Golems eine Spur von Belustigung zu hören.

Theo durchsuchte die Kisten nach allem, was nützlich sein könnte. Es war nicht viel übrig. Aber zu seiner Überraschung lag in der letzten Truhe ein besonders nützlicher – **und besonders seltener** – Gegenstand.

„ELYTREN!", sagte er mit ehrfürchtiger Stimme.

Er drehte sich lächelnd zu seinen Freunden um. „Ich muss nicht durch die Lava schwimmen. Ich habe Flügel!"

„Wow!", sagte Jodi. **„KANNST DU MIT DEN DINGERN FLIEGEN?"**

„Eher gleiten als fliegen", erklärte Theo. Er probierte die Elytren an, die eckigen Käferflügeln ähnelten und an den Schultern befestigt wurden. „Ich muss von hoch oben losfliegen, damit ich über die gesamte Lava gleiten kann."

Als Theo wenige Minuten später auf das große orangefarbene Meer hinausblickte, erkannte er, dass die Klippe, die den Wirrwald vom Lavameer trennte, nicht hoch genug war.

Also begann Theo, zu bauen. Er hüpfte auf der Stelle und ließ Erdblöcke unter seine Füße droppen. Bald stand er auf einer schmalen Säule aus Erde. Von dort konnte er die Reste der Bastion sehen!

Aber trotzdem würde er nicht bis dorthin gleiten können. Er müsste zuerst im Seelensandtal auf der anderen Seite der Lava landen. Das war der nächstgelegene Punkt.

Theo wünschte, er hätte einen Daumen, den er drücken könnte. Stattdessen presste er seine Würfelfäuste zusammen. „Ich schaffe das“, sagte er.

Dann sprang er in die Luft.

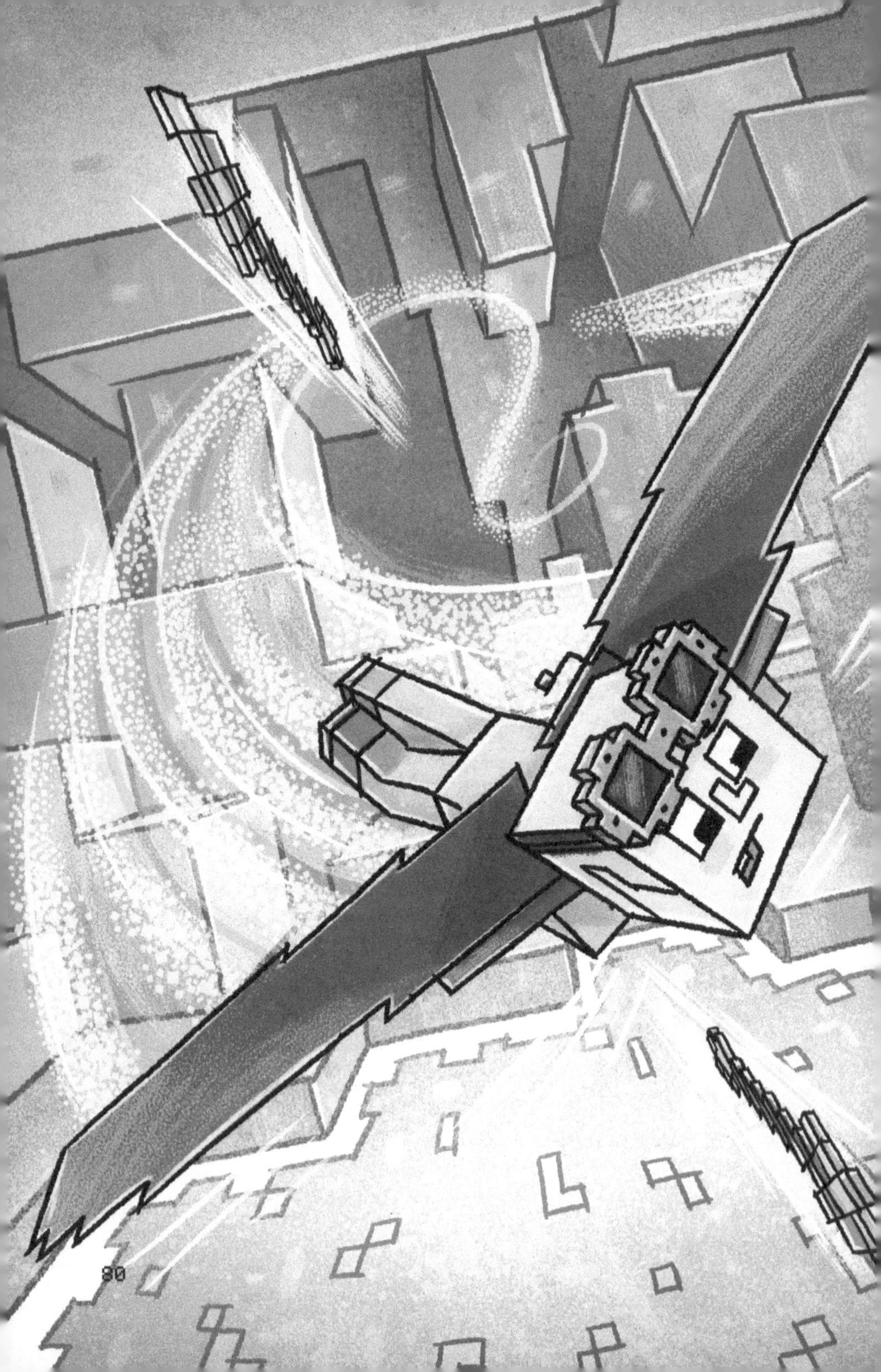

Das Gleiten war aufregend.

Im Kreativmodus hatte Theo es immer geliebt, in Minecraft zu fliegen. Aber dieses Mal war es etwas ganz anderes. Die VR-Technologie von Doc gab ihm das Gefühl, wirklich durch die Luft zu sausen!

Theos Aufregung verflog langsam, stattdessen bekam er Angst.

Er verlor beständig an Höhe und kam der Lava immer näher – so nah, dass er schon die Hitze spürte. Er war sich ziemlich sicher, dass er es auf die andere Seite schaffen würde. Aber es würde knapp werden.

Da zischte ein Pfeil an ihm vorbei.

Theo wirbelte wild in der Luft herum. Woher kam der?

Er sah sich um. Am Ufer des Seelensandtals stand eine Gruppe Skelette. **Jedes von ihnen hielt einen Bogen in der Hand, und alle starrten ihn an.**

In der Luft konnte Theo sich nicht verstecken und sich auch nicht wehren. Hoffentlich erreichte er den Boden, bevor er zu häufig getroffen wurde.

Als weitere Pfeile in seine Richtung flogen, wehrte Theo sich.

Er drehte sich, er wich aus, er tauchte ab. Er tat alles, was er konnte, um den Geschossen zu entgehen.

Und er machte seine Sache gut. Er wurde nicht ein einziges Mal getroffen!

Leider erkannte Theo zu spät, dass all seine ausgeklügelten Manöver ihn wertvolle Zeit in der Luft gekostet hatten. Und er dem Land nicht näher gekommen war.

Dafür war er sehr viel dichter an der Lava. Viel zu dicht!

Theo platschte in die glühende orange Flüssigkeit. Sein Avatar fing Feuer, genau wie seine Flügel.

Zurück im Computerraum, nahm Theo wütend seine VR-Brille ab.

»Das war nicht fair!«, rief er. „Ich war ein leichtes Ziel für diese Skelette."

„Schon gut, Theo", beruhigte Harriet ihn. „Wenigstens bist du in Sicherheit."

„Klar", erwiderte Theo. „Und ich habe auch etwas Wichtiges gelernt. **Fliegen ist nur was für Vögel!«**

Kapitel 10

WIR MEINTEN NATÜRLICH TOM. WENN ER ES NICHT KANN, DANN KEINER! UND WIR HOFFEN, DASS ER ES SCHAFFT, DENN UNS GEHEN LANGSAM DIE ALTERNATIVEN AUS!

Tom hatte sich nie für einen großen Baumeister gehalten.

Einige Minecraft-Fans bauten gern Materialien ab. Andere bastelten gern. **Tom erkundete lieber das Spiel und erlebte Abenteuer.** Er stellte sich selbst gern als einen Helden vor, der neue Biome entdeckte und grausame untote Feinde besiegte.

Aber als er sich mit seinen Freunden am Feuer des Golems seine Ausrüstung aussuchte, wurde ihm etwas klar: Er hatte die Herausforderung des Golems angenommen, aber die Truhen waren fast leer: Er musste also selbst etwas bauen …

„ES SIND HAUPTSÄCHLICH ERDE, STEIN UND NETHERSTEIN ÜBRIG“, stellte er fest. „Aber es gibt noch ein Paar Elytren-Flügel und einen Goldhelm.“

Theo schüttelte den Kopf. „Die Elytren werden dir nichts nützen. Vielleicht, wenn wir eine Rakete hätten, aber die haben wir nicht. Und wir haben auch kein Schießpulver, um eine zu bauen.“

„UND DEIN DIAMANTHELM IST VIEL BESSER ALS DER GOLDENE“, sagte Harriet.

„Er sieht auch schöner aus“, fügte Jodi hinzu.

„Ich weiß!“, stimmte Tom zu. „Er funkelt.“

„Konzentrier dich, Tom!“, sagte Theo. „Hast du einen Plan, wie du die Lava überqueren willst?“

„Ich habe eine Menge Baumaterial“, erklärte Tom. **„ALSO WERDE ICH WOHL EINE BRÜCKE BAUEN.“**

Toms Inventar war fast vollständig mit Blöcken gefüllt. Er war froh, dass sie nichts wogen. Im echten Leben würde er keine Steinstapel herumschleppen wollen.

Der Bau einer Brücke war nicht besonders aufregend.

Er war ein bisschen neidisch auf seine Freunde. Theo war geflogen! Harriet war im Schmetterlingsstil durch heiße Lava geschwommen!

Doch als Tom über den Rand seiner behelfsmäßigen Brücke in die darunter liegende Lava spähte, schauderte es ihn. Eigentlich war er ganz froh, auf festem Boden zu stehen und weit weg von dem geschmolzenen, glühenden Gestein zu sein, dessen Hitze er sogar über diese Entfernung spüren konnte.

Doch nur wenige Minuten, nachdem Tom mit dem Bau angefangen hatte, **gingen ihm die Blöcke aus.**

„Ach je“, seufzte Tom. Er stand an der Kante seiner

unvollendeten Brücke. Das andere Ufer war noch ziemlich weit weg.

Da begriff er, was er verkehrt gemacht hatte.

Er hatte die Brücke zu breit gebaut. Er wollte zwar nicht auf einem Schwebebalken über die Lava balancieren. Aber eine schmalere Brücke würde weiter reichen.

Schnell baute Tom alles wieder ab, entfernte die Blöcke und begann von vorn. Hoffentlich reichte sein Baumaterial jetzt aus. **Er wünschte sich, seine Würfelhände hätten Daumen, damit er sie sich selbst drücken könnte.**

Als Tom sich umdrehte, um weitere Blöcke von hinten zu holen, blickte er zu seinem Ausgangspunkt. Im Wirrwald zwischen den Bäumen bewegte sich etwas. **Es war eine große Gestalt mit leuchtenden Augen.** Beobachtete der Golem ihn? Die Gestalt schaute Tom an, und Tom schaute zurück.

Und erkannte seinen Fehler: Das war nicht der Netherit-Golem. Das war ein Enderman!

Tom sah schnell weg. Endermen mochten es nicht, wenn man sie ansah. Hatte er rechtzeitig weggesehen?

Ein leises Stöhnen ertönte in der Nähe. Tom blickte auf. Er war nicht mehr allein auf seiner Brücke.

Der Enderman hatte sich neben ihn teleportiert!

Tom kreischte. Unbewaffnet schlug er auf den Enderman ein, in der Hoffnung, er würde sich wegteleportieren.

Aber der Enderman schlug sofort zurück. Tom sprang nach hinten, um dem Schlag auszuweichen – über den Rand seiner Brücke …

Und fiel in die blubbernde Lava.

„O Mann“, rief Tom. Er hatte die Augen geöffnet und befand sich wieder in der Stonesword-Bibliothek. **»Das war's. Von jetzt an werde ich immer einen Kürbis tragen. Egal, wo ich hingehe.«**

„Einen Kürbis?“, fragte Jodi.

„Lass mich raten“, sagte Harriet. „Du bist einem Enderman begegnet.“

»Die darf man nie direkt ansehen«, erklärte Theo.

„Ich weiß, Theo!" Tom war genervt. „Das hab ich doch nicht mit Absicht getan." Er schüttelte den Kopf. **»Es heißt ja, Neugier ist der Katze Tod.** Aber eigentlich müsste es heißen, dass Tom zu neugierig war und deshalb von der Kante seiner Brücke in die Lava gefallen ist."

„Das ist aber ziemlich kompliziert", sagte Jodi.

„Stimmt", erwiderte Tom. **»Und das bedeutet, dass wir nur noch eine Chance haben, die Prüfung zu bestehen.«**

Kapitel 11

VERDREHTES SCHICKSAL! VERDREHTER KNÖCHEL! DIESES KAPITEL HAT MEHR DREHUNGEN ALS DIE NEUESTE TANZ-CHALLENGE.

Morton fühlte sich ein wenig schuldig, als er hörte, wie es seinen Freunden ohne ihn ergangen war.

Sie trafen sich auf dem Woodsword-Spielplatz, und Tom erzählte die Geschichte von seiner halbfertigen Brücke. „Ich sage euch, seit diesem Erlebnis habe ich Höhenangst", erklärte er. »Und Angst vor teleportierenden Monstern und Lava und traurigen Clowns mit kleinen Hüten.«

„Wie jetzt? Da gab's auch Clowns?", fragte Jodi überrascht.

„Nein", antwortete Tom. „Ich habe mich nur immer vor ihnen gegruselt. Vor allem vor den traurigen." Er erschauderte.

Harriet tätschelte Toms Arm.

„Ich habe wirklich geglaubt, dass der Plan funktioniert“, sagte sie. »**Aber der Nether ist zu gefährlich.**«

„Jetzt kommt es also auf dich an, Jodi“, sagte Theo. „Du bist unsere letzte Hoffnung.“

Jodi kicherte nervös. „Wow! Aber kein Druck, oder?“

Theo runzelte die Stirn. „Das ist schon ziemlicher Druck, um ehrlich zu sein.“

Jodi verdrehte die Augen und sagte: „Gibt es in der

Woodsword vielleicht einen Sarkasmus-Kurs? Da könntest du noch einiges lernen." Dann stöhnte sie und ließ den Kopf in die Hände sinken.

Morton räusperte sich. „Ich habe eine Idee."

Tom schüttelte den Kopf. „Wenn du dem Golem alles über Baron Zuckerbacke erzählen willst, kommst du zu spät! Ich habe ihn die ganze Zeit zugequatscht, während Theo es versucht hat."

„Das stimmt", bestätigte Harriet. „Weißt du, der Go-

lem macht seine Augen nicht zu, aber ich könnte schwören, dass er ein- oder zweimal eingenickt ist."

»Ich bin mir ziemlich sicher, dass er alles in sich aufgesogen hat«, antwortete Tom verärgert.

Theo runzelte die Stirn. „Vielleicht besteht Mortons Idee ja darin, in der Zeit zurückzureisen und uns zu helfen, bevor wir alle gescheitert sind?"

„Nicht hilfreich, Theo", flötete Harriet.

„Ich schätze, er kann *doch* Sarkasmus", sagte Jodi, das Gesicht immer noch in den Händen. Dann fragte sie ihren Bruder: „Was hast du für eine Idee, Morton?"

„Lasst es mich noch einmal versuchen", sagte Morton. **»Jodi kann mir ihren Platz überlassen, und ich nutze das, was ich beim ersten Mal gelernt habe, und schaffe es dann.«**

Jodi hob den Kopf. *»Das ist unfair!«*

„Es könnte aber schlau sein", entgegnete Theo. „Er hat ja nicht ganz unrecht."

„Freust du dich denn, dass du dran bist, Jodi?", fragte Tom.

„Oder hast du etwa Angst?"

„Darum geht es nicht", entgegnete Jodi.

»Ich bin mir nicht sicher, ob der Golem das überhaupt erlaubt«, wandte Harriet ein. „Er hat gesagt, wir hätten fünf Versuche. Aber es klang eher so, als ob jeder von uns nur einmal drankäme."

„Der Golem ist ein Computerprogramm", sagte Theo. „Wenn unsere Argumente logisch sind, können wir ihn überzeugen."

„Erst musst du mich überzeugen", schmollte Jodi.

Morton verabschiedete sich und überließ es seinen Freunden, über seinen Vorschlag zu entscheiden.

Morgen war Sporttag. Und er musste noch ein letztes Mal trainieren.

Morton war schneller geworden. Da war er sich sicher. Seine Unterarme waren wund gescheuert, und am gesunden Fuß hatte er eine Blase, aber das war der Preis, den er für die Geschwindigkeit zahlen musste.

Er stellte die Stoppuhr. Er wollte messen, wie lange er für eine Runde auf dem Schulsportplatz brauchte.

Alle anderen waren beim Mittagessen. Deshalb hatte

Morton beschlossen, jetzt zu trainieren. Er wollte allein sein.

Es gab nur ein Problem.

Wenn er hinfiel … war niemand da, der ihn auffing.

Kapitel 12

PFLEG DEINE WUNDEN, NICHT DEINEN GROLL! WUNDEN HEILEN, ABER GROLL WIRD IMMER SCHLIMMER.

Morgan verbrachte einen großen Teil des Nachmittags im Krankenzimmer. Er hatte sich den Knöchel schon wieder verstaucht. Die Schmerzen waren unerträglich – noch schlimmer als beim ersten Mal –, aber es gab auch gute Nachrichten.

»Es ist nichts gebrochen«, sagte Doc. „Und du wirst keine bleibenden Schäden behalten. Aber du musst dich schonen, Morton. Du wirst nicht gesund, wenn du noch einmal so stürzt."

Morton nickte. „Verstanden. **Schmerz ist ein guter Lehrer.«**

„Solange *dieser* gute Lehrer nicht scherzt!", entgegnete Doc und lachte über ihren eigenen Witz.

Morton stöhnte.

»Das hört sich an, als ob ihm etwas wehtäte«, jammerte Jodi, während sie sich in das kleine Zimmer drängte. Harriet, Theo und Tom folgten ihr.

„Ich fürchte, sein Sinn für Humor ist nicht zu retten“, erklärte Doc. „Aber sein Knöchel wird in ein paar Wochen wieder in Ordnung sein.“

„Doc?“, rief Harriet. **»Ich wusste gar nicht, dass Sie unsere Schulkrankenschwester sind.«**

„Ich bin die Urlaubsvertretung für Glenda“, sagte Doc. „Solange niemand eine Nierentransplantation braucht, schaffe ich das.“

Sie schien die Spannung zwischen Morton und seinen Freunden zu spüren. „Ich lasse euch allein, aber ich bin draußen, wenn ihr mich braucht.“

Tom wartete, bis Doc gegangen war, dann wandte er sich an Morton. „He, wir haben uns Sorgen gemacht!“, sagte er. „Als du nicht in der Klasse warst, wussten wir nicht, was passiert ist.“

„Wir haben sogar Ally angerufen“, erzählte Harriet. Sie hielt ihr Telefon hoch. **Morton konnte das Gesicht ihrer Freundin Ally auf dem Display sehen.**

„Hi, Morton“, sagte Ally. „Ich bin froh, dass es dir gut geht.

Jodi dachte, du wärst abgehauen, um zum Zirkus zu gehen."

»Oder um ohne uns Minecraft zu spielen«, fügte Theo hinzu. „Wir haben dich zuerst in der Bibliothek gesucht."

Morton schüttelte den Kopf. „Ich schätze, ich war in letzter Zeit nicht gerade ein Teamplayer, oder? Aber so etwas würde ich euch nicht antun."

„Warum warst du so sauer?", fragte Ally.

„Na ja ..." Morton spürte, wie seine Wangen heiß wurden.

„Das liegt wohl daran, dass ich so gern zu diesem Team gehöre. Und ich mache mir manchmal Sorgen, dass ihr mich nicht braucht. Oder dass ich euch ausbremse."

„Uns ausbremsen?", fragte Tom. „Ganz im Gegenteil."

»Aber ich soll doch der Minecraft-Experte sein«, erwiderte Morton. „Und ich war so beschäftigt, dass ich nicht mehr wie früher mithalten konnte. Ich war nicht darauf vorbereitet, allein im Nether zurechtzukommen, und manchmal weiß Theo eben mehr als ich."

„Zwei Köpfe sind viel besser als einer", erklärte Theo. „Wenn es um Wissen geht, können alle etwas beisteuern."

»Theo hat recht.« Harriet nickte. „Ich war schon immer besser darin, mir das Handwerk zu merken."

Jodi kicherte. „Stimmt! Und ich bin gut darin, süße Tiermobs zu zähmen."

„Und wenn wir dich beim Staffellauf ersetzen müssen, bedeutet das *nicht*, dass wir dich als Freund ersetzen", fuhr Harriet fort. „Es geht uns gar nicht so sehr darum, das Rennen zu gewinnen. Wir wollten nur nicht, dass du dich wieder verletzt."

„Mission *nicht* erfüllt", sagte Tom und deutete auf Mortons frisch geschienten Fuß.

„Ich habe es wohl zu persönlich genommen", gestand Morton. „Ich habe mich so darauf gefreut, beim Sporttag mit euch beiden in einem Team zu sein. Das wollte ich mir nicht entgehen lassen. **Aber ich muss den Tatsachen ins Auge sehen. Und das bedeutet, dass ich für eine Weile nicht laufen darf.**« Er sah von Harriet zu Theo. „Was macht ihr jetzt?"

„Wir lassen uns etwas einfallen." Theo klang zuversichtlich. „Beim Staffellauf *und* bei Minecraft."

»Es tut mir leid, dass ich deinen Platz haben wollte, Jodi«, sagte Morton.

Sie seufzte. „Schon okay. Ehrlich gesagt mache ich mir Sorgen. Ich wünschte, wir könnten alle zusammen die Golem-Prüfung machen."

„Vielleicht könnt ihr das … in gewisser Weise", sagte Ally am Telefon.

Morton grinste. „Das klingt, als hättest du eine Idee."

Ally nickte. „Der Golem lässt euch einzeln antreten. Aber vielleicht solltet ihr seine Prüfung weniger wie einen Wettbewerb angehen." Sie lächelte. „Sondern mehr wie einen Staffellauf."

Kapitel 13

JODI UND DIE PIGLINS. KLINGT WIE EINE BAND! APROPOS MUSIK: SEID IHR BEREIT FÜR NETHERSTEIN UND EISEN BRICHT?!

Der Golem fragte nicht, wer als Nächstes zur Prüfung antreten wollte. Er sah die fünf Avatare an, die um das Lagerfeuer standen, und sagte: „Jodi. Wähle deine Gegenstände."

Jodi war bereit. Sie hatte viel darüber nachgedacht und sich mit ihren Freunden beraten. Die Elytren würden helfen, ebenso wie eine leere Flasche und der glänzende Goldhelm.

Aber das wichtigste Werkzeug, das Jodi hatte, war ihr Wissen. Ihre Freunde hatten ihr alles erzählt, was sie wissen musste, **um im Nether zu überleben und mit dem Gegenstand des Golems zurückzukehren.**

Zumindest hoffte sie das.

Mit gesenktem Kopf lief sie durch den Wirrwald. Überall um sie herum waren Endermen, und ihr Goldhelm würde sie nicht lange vor ihnen schützen. Aber solange sie sich nur um sich kümmerte, würden die Mobs sie in Ruhe lassen.

Jodi kletterte auf die Klippe und entdeckte Toms Brücke. Sie ragte über das Lavameer hinaus wie ein olympischer Sprungturm. Sie sah auch das Loch zu Mortons Tunnel. Dieser würde sie direkt in das Herz eines Seelensandtals führen – und dort musste sie jede Menge Skelette bekämpfen. Die Brücke war also viel sicherer. **Sie lief bis an ihr Ende.** In der Ferne konnte sie das Seelensandtal erkennen.

Jodi zog die Elytren an. Sie nahm Anlauf und sprang von Toms Brücke.

Es war aufregend, nach so langer Zeit wieder zu fliegen. **Im Kreativmodus flog Jodi ständig.** Sie musste vor Freude lachen, als sich der Nether unter ihr ausbreitete.

Aber sie hütete sich, den ganzen Weg bis zum Seelensand zu gleiten. Die Skelette dort würden sie abschießen, so wie sie es mit Theo getan hatten.

Stattdessen steuerte sie auf eine kleine Steininsel in der Mitte der Lava zu. Von oben war sie leicht zu erkennen, und sie landete ganz sanft darauf.

Harriet hatte ihren Braustand dort zurückgelassen, dazu **genügend Material für einen Trank der Feuerresistenz.** Jodi hatte noch nie einen Trank gebraut, aber sie erinnerte sich an Harriets Anleitung. Innerhalb von Sekunden war ihre leere Flasche mit einer Flüssigkeit gefüllt, die ein bisschen wie Orangenlimo aussah.

Jodi schluckte den Trank. Ängstlich betrachtete sie die Lava. Aber Harriet hatte ihr erklärt, dass sie sich keine Sorgen machen musste … solange sie schnell war. **Ohne eine weitere Sekunde zu verschwenden, tauchte Jodi in die Lava.** Sie blieb unter der Oberfläche, wo sie vor den Ghasts, die über sie hinwegflogen, sicher war.

Ihr Bruder hatte sich durch das Seelensandtal mit seinem gefährlichen Sand und den vielen Monstern kämpfen müssen. Jodi nahm die andere Richtung und lief stattdessen durch einen Karmesinwald. Hier gab es zwar auch Gefahren, aber sie konnte ihnen leichter ausweichen. Vorsichtig hüpfte sie von Baum zu Baum. Wenig später hatte sie die Ruine erreicht.

Dort wimmelte es nur so von Piglins. Die Mobs hatten sie bemerkt, und Jodi hielt den Atem an. **Sie konnte nicht gegen alle kämpfen!**

Aber die Piglins griffen nicht an. Sie schienen sich nicht im Geringsten an ihr zu stören. Ein Baby-Piglin kam sogar auf sie zu. Es war so niedlich!

Mortons Tipp funktionierte. **Solange sie den Goldhelm trug,** würden die Piglins ihr nichts tun.

Trotzdem wollte sie nicht, dass die Piglins bemerkten, dass sie sie bestahl. Sie wartete, bis sie allein war, bevor sie sich der Schatztruhe in der Mitte der Bastion näherte. Waren da glitzernde Juwelen, wertvolle Materialien oder gerahmte Gemälde drin?

Doch die Truhe enthielt nur ein paar unscheinbare Dinge.

Darin lagen eine schwarze Scheibe, ein Sattel und eine Angelrute mit einem seltsam aussehenden Pilz am Haken.

Und eine Illustration. Sie zeigte Jodi, was sie mit der Angelrute und dem Sattel machen sollte.

„ACH WAS“, sagte sie und lächelte aufgeregt.

Sie musste immer noch zurück zu den anderen, was bedeutete, dass sie die Lava noch einmal durchqueren musste.

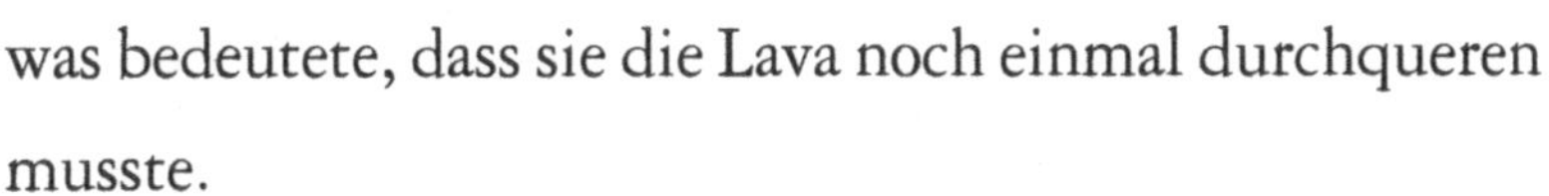

Aber dieses Mal würde sie stilvoll reisen.

Jodis Freunde warteten am anderen Ufer auf sie. Sie erkannte schon die überraschten und erfreuten Blicke auf ihren Gesichtern, als sie bemerkten, dass sie auf einem Schreiter ritt.

Der Schreiter war eine seltsame Kreatur,

anders als alles, was Jodi in der Oberwelt je gesehen hatte. Er war kastenförmig und rot, hatte strähniges weißes Haar, weit auseinanderstehende Augen und nach unten gezogene Mundwinkel. Obwohl er mürrisch aussah, war der Schreiter ganz sanft.

Und er liebte Pilze! **Jodi benutzte die Angelrute, um den Wirrpilz vor dem Schreiter baumeln zu lassen.** So konnte sie die Kreatur dahin lenken, wo sie hinwollte.

Und Jodi wollte direkt über die Lava zurück zu ihren Freunden.

Alle jubelten ihr zu, als sie wieder sicher an Land war.

Jodi jubelte mit ihnen. Schließlich war dies dank Allys Idee eine Teamleistung gewesen. Jodi hatte nur bestehen können, weil ihre Freunde ihr den Weg bereitet hatten. Und was noch besser war: Sie hatten das Gelernte weitergegeben, sodass Jodi nicht dieselben Fehler machen musste wie sie.

Jodi tätschelte den Schreiter und legte den seltsamen Pilz vor ihm auf den Boden. „Danke fürs Mitnehmen, Schreiterchen", sagte sie.

„HAST DU DEN GEGENSTAND?", fragte der Golem.

„Ich glaube schon", antwortete Jodi und hielt ihm die schwarze Scheibe hin. „Aber ich dachte, es wäre ein Schatz. Was macht dieses Ding so wertvoll?"

„Der Gegenstand selbst ist nicht wertvoll", erwiderte der Golem. „ABER DIE FREUDE, DIE ER BRINGT, IST UNBEZAHLBAR."

Damit wies der Golem Jodi an, die Scheibe in eine braune Kiste mit Schlitzen zu schieben. Es war eine Jukebox, und sobald die Scheibe eingelegt war, ertönte Musik.

„Ist das … ?", fragte Morton.

„‚Pigstep'!", sagte Theo.

„Pig… was?“, fragte Tom.

Harriet lachte und erklärte: **„PIGSTEP IST DER NAME EINES LIEDS.“**

„Das ist ein Ohrwurm!“, rief Jodi und begann, im Takt zu tanzen. Die Freunde machten mit … und zu Jodis Überraschung auch der Golem.

Er war so steinern und emotionslos gewesen. Aber bei den Klängen der Musik **schien der Golem lebendig**

zu werden. Er wippte mit den Hüften. Er schwang die Arme. Und seine Augen strahlten.

Das ist die Freude des Magierkönigs, erkannte Jodi. Der Golem war der Teil ihres Freundes, der sich an all den Wundern von Minecraft erfreute.

Während sie tanzten, begann der Golem, zu leuchten. **Plötzlich verwandelte sich sein Körper in einen wirbelnden Schwarm aus Schmetterlingen.** Die Schmetterlinge flatterten und schaukelten in ihrem eigenen Takt, bevor sie an Jodi vorbei zurück zum Portal flogen.

Sie hinterließen ein Stück des Magiers. Morton nannte es den Torso.

Jodi lächelte, denn sie wusste, dass es eigentlich das Herz des Magiers war.

Kapitel 14

SPORTTAG! AN DEM BARON ZUCKERBACKE SEIN WAHRES GESICHT ZEIGT UND ALLE RICHTIG VIEL SPASS HABEN!

Endlich war Sporttag in der Woodsword-Mittelschool. Morton hätte ihn um nichts in der Welt verpassen wollen – auch wenn er immer noch auf Krücken ging und die strikte Anweisung hatte, seinen Fuß zu schonen.

„Schön, dich zu sehen, Team Blau!“, rief Miss Minerva, als Morton die Schule betrat. Er trug seine Teamfarbe und seine Startnummer: 43. Sie hakte ihn auf einer Liste ab.

„Moment mal“, sagte die Lehrerin. Sie schaute auf seine Krücken. »Nummer dreiundvierzig, ich habe dich für den Staffellauf eingetragen. Das kann nicht richtig sein.«

»Doch, das stimmt«, erwiderte Morton. „Ich habe die Frist verpasst, um abzusagen. Teilnehmer Nummer dreiundvierzig wird also definitiv am Staffellauf teilnehmen."

Tom kam in seinem Rollstuhl nach vorn und klatschte mit ihm ab. (Morton geriet ins Wanken, fiel aber nicht hin.) Tom trug ebenfalls Blau und hatte die Startnummer 13. **Er hatte seinen Rollstuhl wie einen antiken griechischen Streitwagen geschmückt!**

„Bist du bereit für den Tausch?", fragte Tom.

Morton grinste. „Na klar."

Unter den Augen von Miss Minerva nahmen die Jungen ihre Startnummern ab – und tauschten sie. Morton befestigte die **Nummer 13** an seinem Hemd, während Tom sich die **Nummer 43** ansteckte.

Miss Minerva lächelte. „Eine hervorragende Problemlösung", sagte sie. „Teilnehmer dreiundvierzig und dreizehn, viel Spaß bei euren Wettbewerben. **Und macht das Team Blau da draußen stolz!«**

Später am Vormittag nahm Tom mit Mortons Startnummer seinen Platz auf der Bahn ein. Theo und Harriet waren schon da, genau wie die Staffelläufer der roten, gelben und grünen Teams.

Morton und Jodi schauten von der Tribüne aus zu, zusammen mit ein paar ganz besonderen Gästen – **Baron Zuckerbacke und Gräfin Grübchen!**

»**Auf geht's, Team Blau! Auf geht's, Rot!**«, schrie Jodi. „Gräfin Grübchen drückt euch beiden die Daumen!"

Theo rief von der Bahn herauf: „Eigentlich sind Hamster fast völlig farbenblind!"

Jodi rief zurück: „Sie drückt dir nicht mehr die Daumen! Sie quiekt nur noch begeistert in deine Richtung!"

Die Glocke ertönte, das Rennen begann. Harriet ging früh in Führung und sprintete vor den anderen her. Aber sie verbrauchte zu schnell zu viel Energie, und die anderen Teams holten auf, als sie den Staffelstab an Theo übergab.

Theo stolperte kurz, als er losrannte, und die anderen Läufer zogen an ihm vorbei. Doch dann raste Theo mit wirbelnden Beinen los. Er starrte nur auf die Bahn vor sich und erreichte Tom schneller, als irgendjemand es für möglich gehalten hätte.

Tom schoss in seinem Rollstuhl vorwärts, in einem solchen Tempo, wie Morton ihn noch nie hatte fahren sehen. Wegen seines Trainings auf dem Basketballplatz konnte Tom offensichtlich wie ein Blitz losdüsen.

Tom war als Letzter gestartet. Jetzt überholte er Team Gelb und dann Team Grün … aber Team Rot kam knapp vor ihm ins Ziel.

„Zweiter Platz!", rief Jodi. »Das ist großartig!«

„Wirklich", bestätigte Morton und klatschte wild …

23
MMXXIII

wobei er darauf achtete, Baron Zuckerbacke und Gräfin Grübchen nicht umzustoßen.

Zuckerbacke schien das Rennen nicht zu interessieren. **Die ganze Zeit über hatte er nur Augen für die Gräfin.**

Jodis Disziplin war das Diskuswerfen. **Sie belegte den ersten Platz im Wettbewerb, trotz eines missratenen Wurfs, mit dem sie Miss Minerva fast einen Überraschungshaarschnitt verpasst hätte.**

Und dann war Morton an der Reihe. Zuerst glaubte er noch, genauso gut abschneiden zu müssen wie seine Schwester. Den ersten Platz zu machen, würde sich bestimmt gut anfühlen!

Aber dann erinnerte er sich daran, dass er Spaß haben und sich nicht stressen sollte. **Er versuchte sogar, zu meditieren, so wie** Miss Minerva es ihm vorgeschlagen hatte. Das beruhigte ihn ein wenig. Es gefiel ihm, sich auf seine Atmung zu konzentrieren.

Das Freiwurf-Basketballturnier wäre eigentlich nicht Mortons erste Wahl gewesen.

Er war nicht besonders gut im Körbewerfen. Aber da es in Woodsword ein Rollstuhl-Basketball-Team gab, das den Titel gewonnen hatte, war es kein Problem, dass Morton seine Würfe im Sitzen machte. So konnte er seinen Fuß schonen und musste nicht befürchten, das Gleichgewicht zu verlieren.

Er traf jedoch nur zweimal den Korb. Und wurde Letzter.

Aber das war egal. **Er lachte, wenn er den Korb verfehlte, und er johlte vor Freude, wenn er traf.**

Und seine Freunde standen am Spielfeldrand und feuerten ihn die ganze Zeit über an.

Kapitel 15

ALLE LIEBEN EIN HAPPY END! WAS BEDEUTET, DASS DU DIESES KAPITEL WAHRSCHEINLICH ZIEMLICH HASSEN WIRST.

Ein paar Tage vergingen, bevor Morton und seine Freunde wieder in Minecraft eintauchen konnten. Es war das erste Mal, dass sie ihre VR-Brillen aufsetzten, nachdem sie die Prüfung des Golems bestanden hatten.

Jetzt mussten sie noch ein Stück des Magiers finden. Nur noch eins!

Sie spawnten im Lager mit dem blauen Seelenfeuer, wo sie sicherheitshalber die Truhen des Golems überprüften. Sie waren leer. Sie hatten bereits alle Gegenstände des Golems benutzt.

„WIR HABEN WIRKLICH KAUM NOCH ETWAS … UNS FEHLT EINFACH ALLES“, stellte Harriet fest.

„Das ist schon in Ordnung“, beschwichtigte Theo. „Wir holen uns Nachschub aus der Oberwelt.“

„Ich bin so froh, hier wegzukommen." Tom seufzte.

„Ehrlich gesagt, werde ich die Piglins vermissen", sagte Jodi.

Morton schauderte bei dem Gedanken an die schweineähnlichen Mobs. „Ich nicht. **KOMMT, GEHEN WIR.**"

Am Portal fragte sich Morton kurz, was sie auf der anderen Seite sehen würden. Es war mehr als eine Woche her, dass sie in der Oberwelt gewesen waren. **Beim letzten Mal hatte der FEHLER den ganzen Himmel verschluckt.** Morton hoffte, dass es nicht noch schlimmer geworden war.

Seine Hoffnung erfüllte sich nicht.

Mortons virtueller Kiefer klappte auf, als er die Oberwelt betrat. Sie war nicht wiederzuerkennen. Der FEHLER war überall. **Ein verpixelter, von Blitzen durchzuckter Schlund aus Dunkelheit erstreckte sich über, vor und unter ihnen.** Die Landschaft war noch da – er hatte Boden unter den Füßen –, aber sie war rissig und zerklüftet. Sie sah eher aus wie die schwimmenden Inseln im Ende als die Oberwelt, die er kannte und liebte.

Seine Freunde traten hinter ihm durch das Portal. Alle schnappten nach Luft.

„Was ist hier passiert?“, fragte Jodi.

„Wir sind zu spät“, sagte Morton. „DER FEHLER HAT … FAST DIE GESAMTE OBERWELT VERSCHLUNGEN.“

MINECRAFT

DIE WOODSWORD-CHRONIKEN

Diese Erstlesereihe führt eine Gruppe unerschrockener Minecraft-Spieler tiefer in das beliebteste Computerspiel aller Zeiten als andere Geschichten jemals zuvor!

DAS SPIEL BEGINNT

Fünf junge Minecraft-Spieler werden wirklich in ihr Lieblingsspiel versetzt. Aber nun ist es kein Spiel mehr – und sie müssen all ihr Wissen einsetzen, um diese Welt zu erforschen, Dinge herzustellen und zu überleben!

NACHT DER FLEDERMÄUSE

Als Zombiehorden im Minecraft-Spiel auftauchen und Fledermäuse ihre Schule in der realen Welt belagern, merken Ally, Morton und ihre Freunde, dass sie all ihr Geschick brauchen, um diesen unheimlichen Ereignissen auf den Grund zu gehen.

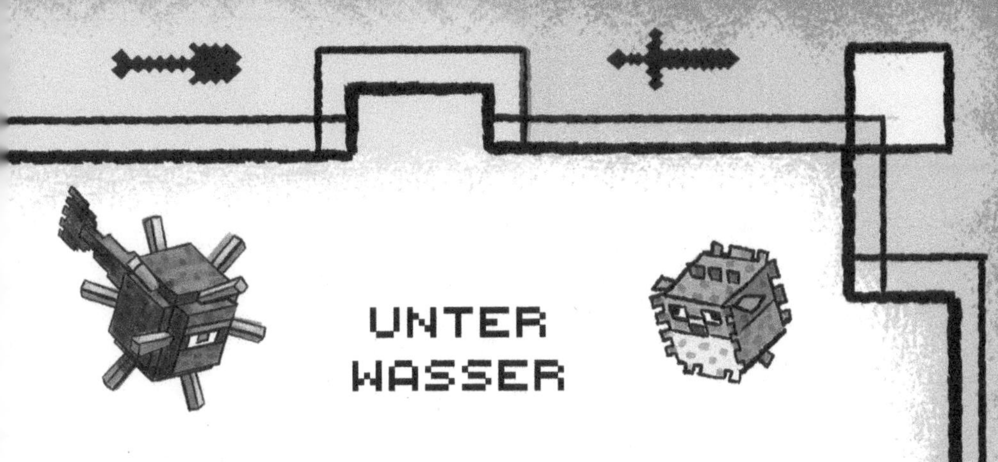

UNTER WASSER

Ally, Morton und ihre drei Freunde tauchen tief in die Unterwasserwelt von Minecraft ein und entdecken eine Welt voller Schönheit und Wunder. Eine Schatzkarte verspricht Abenteuer und neue Entdeckungen – aber das Ganze könnte auch eine Falle des mysteriösen Magier-Königs sein …

DER MAGIER

Jodi, Ally, Morton und ihre Minecraft-Freunde gehen hinaus in die reale Welt, um die Identität des mysteriösen und unheimlichen Magier-Königs aufzudecken. Sie wollen nicht nur herausfinden, wer – oder was – er ist, sondern auch, ob er wirklich aus dem Spiel ausbrechen kann!

FINSTERE KERKER

Als Tom, Morton und ihre Minecraft-Freunde den Magier-König zu seinem Unterschlupf in einem finsteren Kerker verfolgen, erleben sie ein großes Fantasy-Abenteuer voller Gefahren, Drachen und feindlicher Mobs.

DAS LETZTE GEHEIMNIS

Während die Welt von Minecraft unter die Kontrolle des Magier-Königs gerät, bereiten sich Morton, Ally und ihre Freunde auf den finalen Showdown vor. Doch wenn ihr Feind wirklich im Besitz des mächtigsten Bausteins von Minecraft sein sollte, werden sie ihn dann besiegen können?

DIE ABENTEUER GEHEN WEITER

MINECRAFT

ERSTE LESEABENTEUER

EIN GEFÄHRLICHER CODE!

Jemand – oder etwas – hat den Magier in Stein verwandelt. Doch Theo hat sich als neuer Spieler dem Team angeschlossen. Gemeinsam wollen sie ihren ehemaligen Feind wieder zurückverwandeln.

Theo besitzt Modding-Fähigkeiten, die sich als nützlich erweisen könnten, aber hat er auch das Zeug dazu, Teil des Teams zu werden? Oder werden seine Programmierungen das Spiel so verändern, dass keiner von ihnen überleben wird?

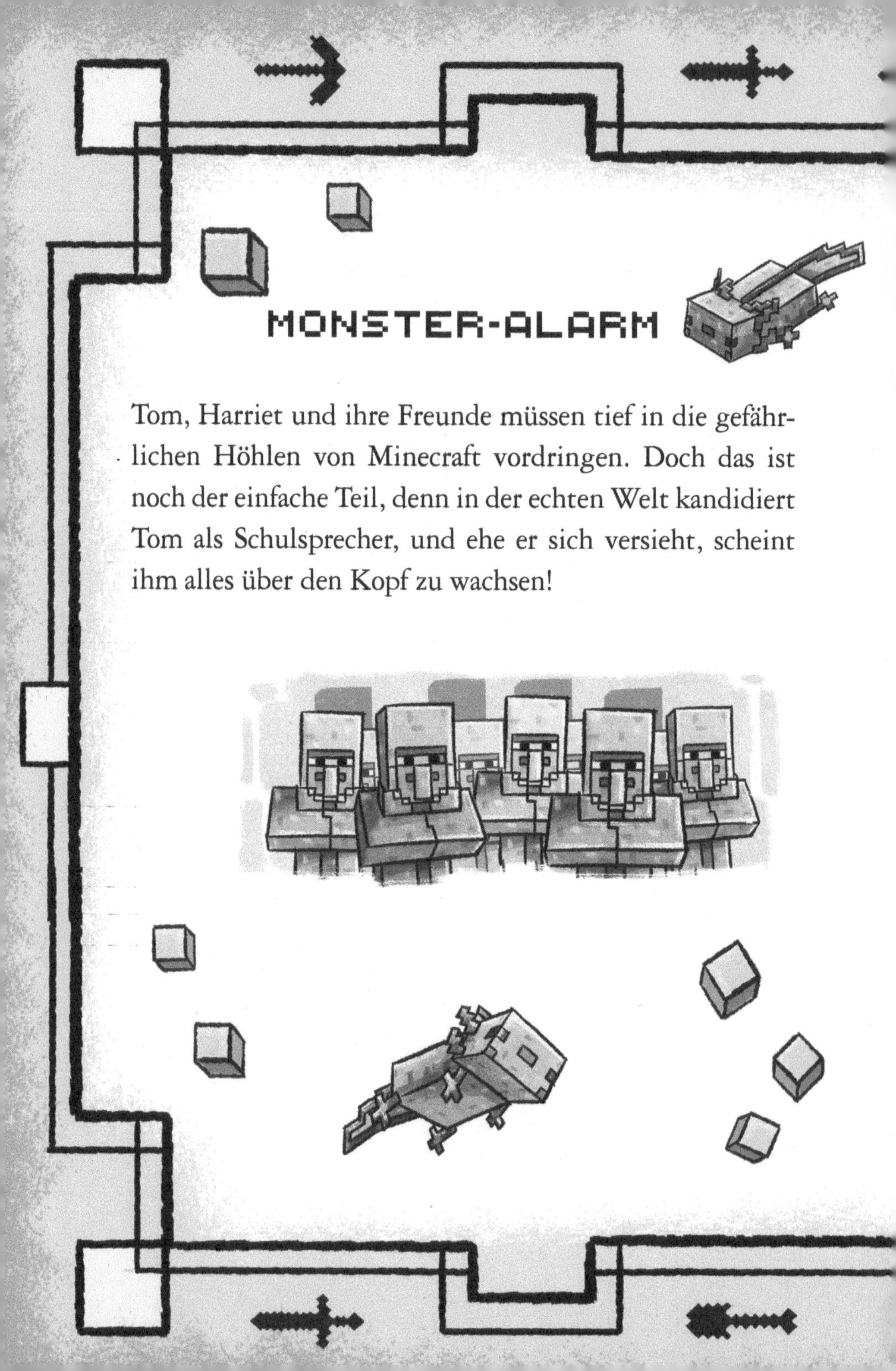

MONSTER-ALARM

Tom, Harriet und ihre Freunde müssen tief in die gefährlichen Höhlen von Minecraft vordringen. Doch das ist noch der einfache Teil, denn in der echten Welt kandidiert Tom als Schulsprecher, und ehe er sich versieht, scheint ihm alles über den Kopf zu wachsen!

TIERISCH WAS LOS!

Der dritte Teil des Magier-Königs nimmt die Gestalt einer Minecraft-Hexe an und schickt Jodi, Morton und ihre Freunde auf die Suche nach einer extrem seltenen Kreatur. Jodi ist fest entschlossen, dafür zu sorgen, dass es dem Tier gut geht, ganz gleich, was passiert!

SCHWARM DRÜBER

Alle Bienen rund um die Schule und die Stonesword-Bibliothek verschwinden – und ein Teil des Magierkönigs hat die Form eines Bienenvolkes mit einer Schwarm-Intelligenz angenommen! Hängt das etwa zusammen? Und zu allem Überfluss wird der Riss im Himmel von Minecraft immer größer und dunkler.

MACH DICH BEREIT FÜR DEN
FULMINANTEN ABSCHLUSS
DER STONESWORD-SAGA IN
BAND 6 - BALD IN DEINER
BUCHHANDLUNG!

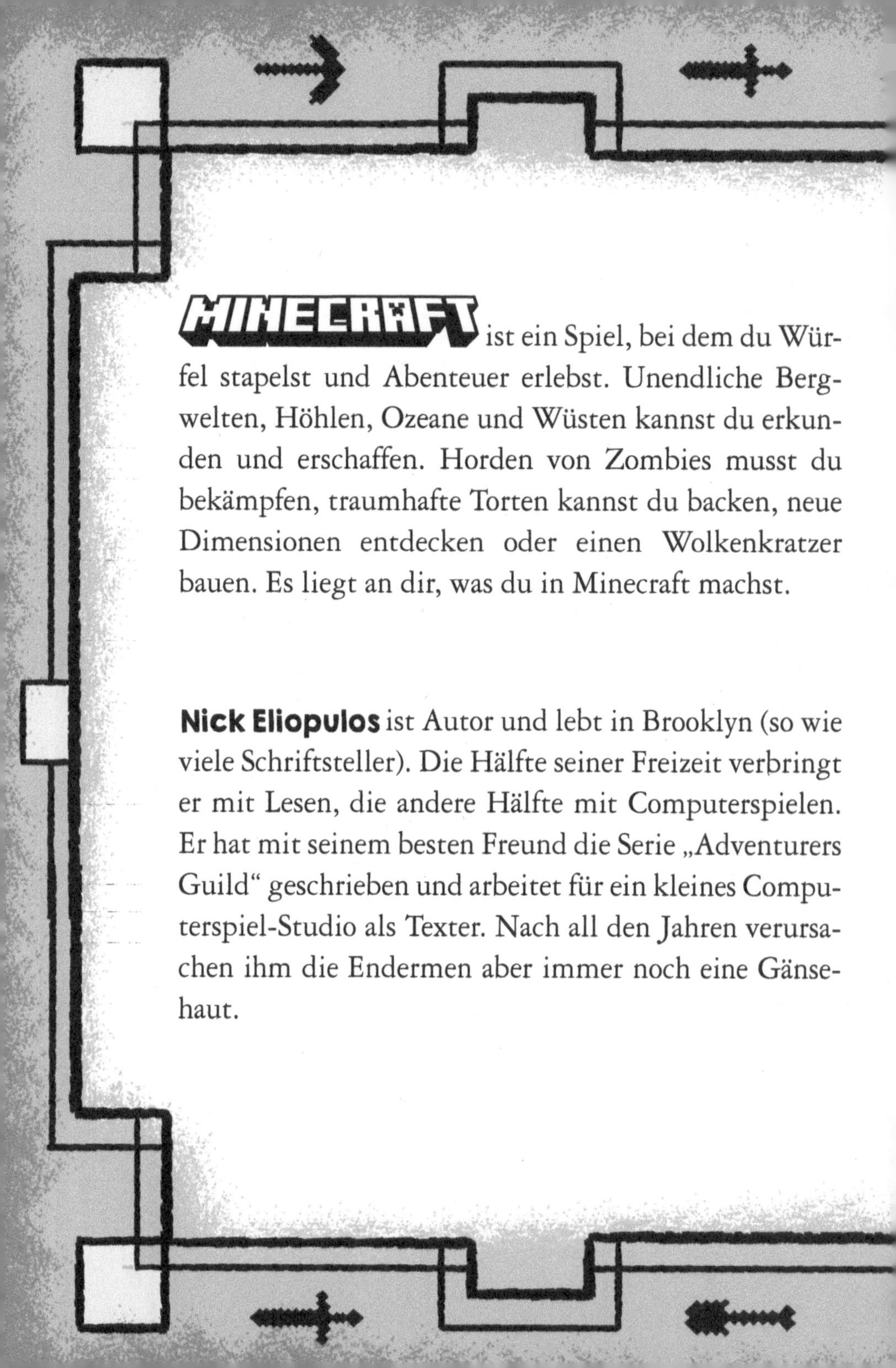

MINECRAFT ist ein Spiel, bei dem du Würfel stapelst und Abenteuer erlebst. Unendliche Bergwelten, Höhlen, Ozeane und Wüsten kannst du erkunden und erschaffen. Horden von Zombies musst du bekämpfen, traumhafte Torten kannst du backen, neue Dimensionen entdecken oder einen Wolkenkratzer bauen. Es liegt an dir, was du in Minecraft machst.

Nick Eliopulos ist Autor und lebt in Brooklyn (so wie viele Schriftsteller). Die Hälfte seiner Freizeit verbringt er mit Lesen, die andere Hälfte mit Computerspielen. Er hat mit seinem besten Freund die Serie „Adventurers Guild" geschrieben und arbeitet für ein kleines Computerspiel-Studio als Texter. Nach all den Jahren verursachen ihm die Endermen aber immer noch eine Gänsehaut.

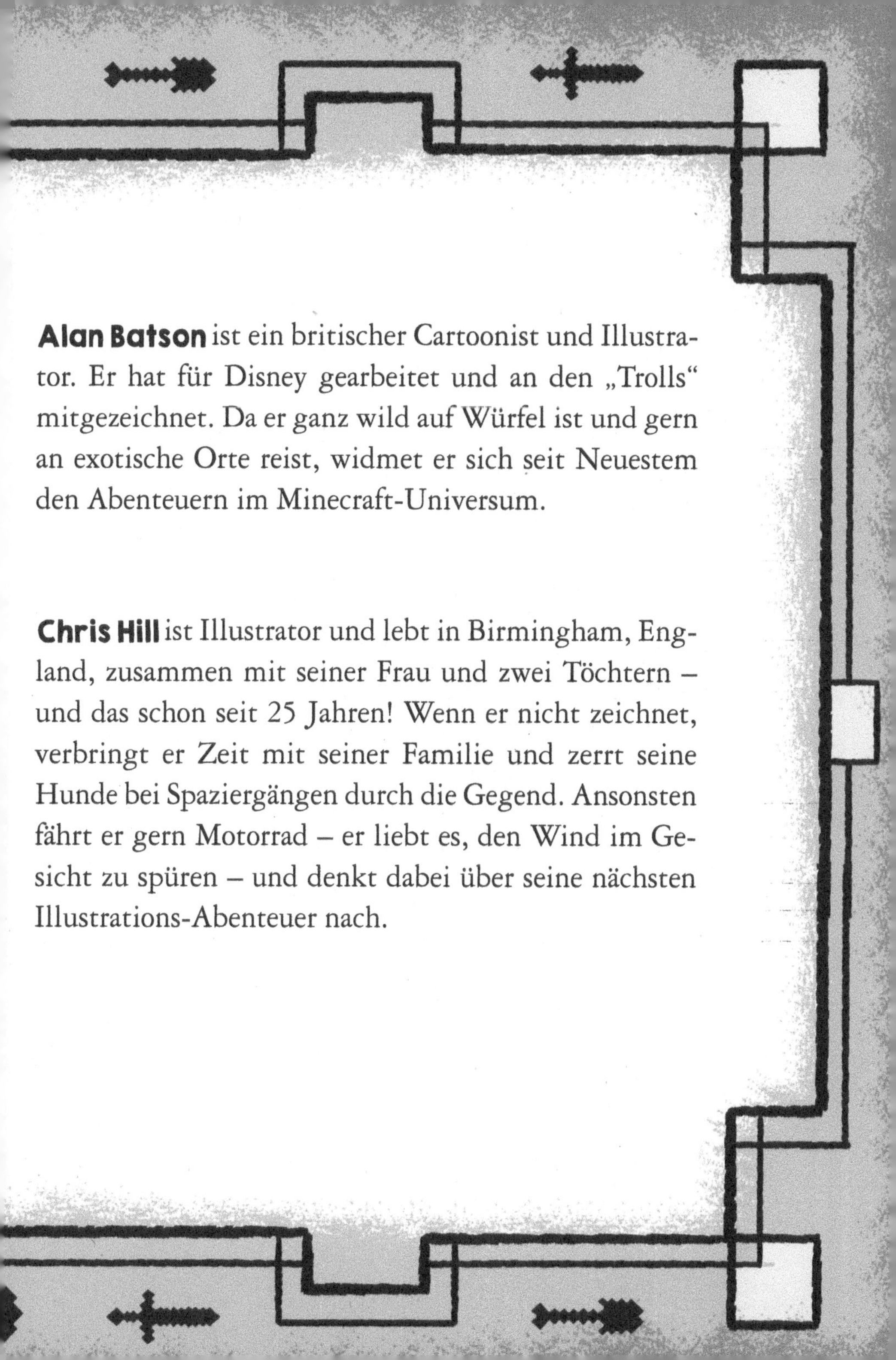

Alan Batson ist ein britischer Cartoonist und Illustrator. Er hat für Disney gearbeitet und an den „Trolls“ mitgezeichnet. Da er ganz wild auf Würfel ist und gern an exotische Orte reist, widmet er sich seit Neuestem den Abenteuern im Minecraft-Universum.

Chris Hill ist Illustrator und lebt in Birmingham, England, zusammen mit seiner Frau und zwei Töchtern – und das schon seit 25 Jahren! Wenn er nicht zeichnet, verbringt er Zeit mit seiner Familie und zerrt seine Hunde bei Spaziergängen durch die Gegend. Ansonsten fährt er gern Motorrad – er liebt es, den Wind im Gesicht zu spüren – und denkt dabei über seine nächsten Illustrations-Abenteuer nach.